ポスト・コロナの文明論

感染症の歴史と近未来の社会

浜本隆志

明石書店

はじめに

　本書の表紙カバーの絵は、オランダの画家ゴッホ（1853〜1890）の代表作と評される「星月夜」である。最初に、なぜこの絵を引用したのかを説明しなければならない。現在の新型コロナウイルス（本書ではコロナと略記）禍は、世界に蔓延していつ収束するかわからない。ポスト・コロナの近未来もどのような社会になるのか不透明である。人びとは連日流れてくるコロナ情報の洪水のなかで、ストレスを溜め、たえず不安に駆られている。

　ゴッホの絵も、一見すると月夜の星空と夜景を描いたものであることがわかるが、青と白と黄色を基調とした雲状の渦巻きは、芸術家の不安感を醸し出している。美しい夜景であるはずの月の光、金星などの輝きも画家の内面の異様な高揚感を表すものである。これはゴッホが入院していたサン・レミの精神科療養院の病棟から見た光景とされているが、美術評論家は実際の写実と異なる部分が合成されたものであることを考証している。左側に聳《そび》える黒い糸杉は、通称「死のシンボル」と解釈される。そうだとすれば、糸杉が中央の教会の尖塔よりはるかに高いのは、きわめて意味深長である。

以上の経緯から、コロナ禍の下で展望する近未来の社会と、ゴッホの不安感が渦巻く絵は相通ずるものがあるように思われる。ゴッホの精神異常の原因については諸説あるが、まずベルギーのアントワープ時代に、娼婦から罹患した梅毒という感染症の影響が挙げられる。さらにニガヨモギなどを加えたリキュール酒のアブサン中毒説、精神疾患、「てんかん」説などもよく引き合いに出される。

このような悲惨な病状を強調すれば、ゴッホの絵は救いがないような印象を与えてしまう。いやむしろこの絵はそうではなくて、よく見ればバイタリティに満ち溢れているともいえる。たとえば、エネルギーの根源である渦巻きが逆に夜明けへの希望を与えてくれる。ゴッホにとって青は神の色であり、救済を意味したとするならば、青を基調としたこの絵は、現在のコロナ禍と比較しても、時代の閉塞状態から未來への希望を提示しているという解釈も可能ではないだろうか。

さて、現在のコロナが生み出している不安やストレスに対し、人びとはいろいろな反応を示す。パニックに襲われたり流言飛語に惑わされたりすると、自衛のためにマスクやトイレットペーパー、食料品などの生活用品の買いだめをする。その群集心理は、社会全体が大きなストレスにさらされたときの本能的行動である。とくに、決定的な治療方法がない感染症の場合、社会は大きな閉塞感に襲われる。その結果、さらなるネガティヴな心理的力学が作用し、他民族批判、政府批判やヘイトスピーチが飛び交う。

このようなパニック現象とその帰結は、ヨーロッパにおける中世末期のペスト蔓延時にも、20世紀初頭のスペイン風邪（アメリカ発生にもかかわらず、歴史的にはスペイン風邪と改竄された）の時にも発生している。また、コレラ、サーズ（SARS）・マーズ（MERS）ウイルスの流行した近年においても繰り返された。かつて、危機に直面した人びとは、どのように感染症を乗り越え、克服していったのであろうか。それは欧米社会や世界をどう変えたのであろうか、本書でも検証してみたいテーマである。

これらの過去のパンデミックと社会との比較研究はすでに試みられ、人びとは多くの教訓を導き出している。本書は、コロナに重点を置きながらも、感染症の視点から、比較文化論的に現代文明のトータルな危機をクローズアップしたものである。コロナや感染症が提起した現代文明の危機は、結局、社会システム、食糧問題、エネルギー政策、環境問題などに帰着していく。それは近未来の社会のあり方を問うことに他ならない。

文明の進歩によって、日常的な生活は便利なもの、快適なものとなり、人間生活は日進月歩している。冷たい飲み物、温水、抗菌グッズ、ファストフーズ、24時間営業のコンビニが当たり前の時代となり、スーパーマーケットには季節はずれの野菜、果物があふれ、飽食の時代を実感する。現代人は実際にその文明の恩恵に浴している。しかし、これを支えているシステムがいったん崩れると、すなわち今回のようなコロナ騒動が起きれば、たちまち日常生活は崩壊してしまう。

歴史は繰り返すというが、中世のペスト禍と670年くらいのタイムラグがあるにもかかわらず、当時と現代の人間行動のメカニズムを比較すると、奇妙なほどアナロジーがあることに驚かされる。中世後期には絶対的であったキリスト教が揺らぎはじめ、死に直面した人びとは途方に暮れ、必死にそれから逃れるすべを見い出そうとした。かれらがそこで見たものはまさしく地獄絵そのものであったが、それでも人類はしたたかに生き抜いてきた。

現在文明も揺るぎないものと信じられてきたが、コロナはいとも簡単に日常生活が崩壊するものであることを知らしめた。そこで共通するのは、盤石と思えてきた文明が、じつは薄い地殻の上に打ち立てられていたものであって、容易に崩壊し、人間は奈落へ突き落とされるという現実である。本書は、このメカニズムとその後の対策を展望する視点から、執筆したものである。

それは感染症だけの問題でない。近未来に予想されている巨大地震や大災害に対する備えと重なる部分がある。非日常の危機に直面したときに、それを想定した複合的な対策は、現代日本でも不可欠な課題であろう。危機は社会構造を破壊し、日常を異次元化する。その際、人びとは平穏な日々がいかに大切であるかを実感する。そこから、人間は原点に立ち返り、生き抜く知恵を求めねばならない。

本書は3章立てになっており、第1章では、コロナによって暴かれた現代文明の弱点を分析する。第2章では、感染症が世界史においてどのような役割を果たしてきたのかを示し、第3章では、それらを踏まえて、ポスト・コロナの社会のあり方を提言してみたいと思う。本書は、できるだけ文化論的な視点から、既知の現状を追跡するのではなく大局的に過去に踏み込み、近未来を展望したものであるが、これが現在におけるウイルスへの対応の一助になれば、望外の喜びである。

ポスト・コロナの文明論——感染症の歴史と近未来の社会

目次

第1章　コロナが暴く文明の急所

1　現代文明を可視化したコロナ

浮き彫りにされる現実

日ごろの生活のなかでは、現代文明がどの方向に向かっているのか、ほとんど気づかない場合が多い。この度のコロナ禍は都市を中心に多大な被害や犠牲者を出し、世界規模において社会を一変させたが、見方を変えれば、人びとが現代文明とリアルタイムで向き合う機会が生まれたと解釈することができる。コロナは、社会を根底から変えていき、21世紀の行方を左右するウイルスであることが見えてくる。

まず、各人は情報を取捨選択し、コロナと直接対峙しなければならなくなった。日常生活ではみずからの責任において、コロナ対策を余儀なくされている。自分だけでなく、家族がいれば身内の安全を願い、また学校に通う生徒がいれば、休校を心配する。とくに都市部に住む人びとは、感染者数に一喜一憂しながら不安な毎日を過ごす。

スポーツや音楽・演劇好きの人は、観戦や鑑賞を制限されると、大きなストレスを感じる。演ずる側の苦悩もたいへん大きい。旅行を趣味にする人も、移動がままならず、外国旅行は困難になっている。観光地では、あれほど沢山いた外国人観光客もほとんどいなくなり、閑散とした光景がみられる。さらに、自覚しないうちにコロナの情報が毎日のように目に入り、どのようなシステムで自分が世界とつながっていたのか気づかされる。現代文明の構造変化など、今まで考えもしなかったのに、どうやら大きな地殻変動が起きていることを実感させられる。

日常的習俗の可視化

コロナ禍がなければ、外国にはマスクを嫌がる人がいることすら知らなかった。外国の首長がマスクを装着するか否かが話題になるほど、日本との生活習慣の違いを実感させられる。欧米は接触文化圏といわれるが、それがリアリティをもってくる。たとえば、握手とハグ、場合によればチークキスという慣習は知っていたが、さらに民族舞踊、バレエなどでも接触を基本とすることを改めて認識させられた。それに対して日本の場合、もともと挨拶はお辞儀をするだけで、接触はしない。舞踊や盆踊りなどでわかるように、相手と離れて踊ることが多い。したがって、コロナへの対応において、接触を基本とする欧米文化は、感染予防という意味で不利な状況にあるといえる。

同様に、欧米では戸外と屋内で同じ靴を履き、靴を介してウイルスを部屋にもち込む可能性がある。これは、もともとヨーロッパの都市が石畳でできており、比較的乾燥した気候であったことから生まれた習慣であった。日本では、雨が多く道路がぬかるむので、かならず玄関で履物を脱いで、内と外を厳密に区別する。また、子どもたちにも手洗いやうがいの習慣を教える。神社で参拝する時の手水のしきたりやみそぎの文化があるように、日本には水による浄化の習慣もある。

率直にいえば、欧米人はトイレの後、手洗いをあまり励行しないし、マスクの習慣も根づいていない。かつて、ヨーロッパでは中世から近代にかけて、宗教的理由（香油の秘跡など）や不潔な共同浴場などへの嫌悪から、入浴文化は控えられていた。その代替として、香水の文化が発達したのはよく知られている。

入浴好きな日本人と比べると、欧米人には大きな違いがある。日本では、トイレのウォシュレット、便座除菌クリーナーなどが日常生活のなかで一般的に用いられる。現在でも、日本人の方が圧倒的にきれい好きで汚れに敏感である。このような生活文化の比較からも、欧米とのコロナの感染者や死者の数字の違いを読み解くことも可能となる。

コロナは、日常生活における日本と外国の差を可視化したといえる。もちろん生活習慣だけでなく、PCR（ポリメラーゼ連鎖反応）検査数、感染者数の内訳、重症者数、死亡者数などの数値も可視化に他ならないが、以下では、通常見えづらい現代文明の急所をさらにクローズアップしてみたい。これも一種の可視化であり、それを踏まえることによって、非接触構造や換気システムなどの具体的なノウハウだけでなく、コロナ禍の隔離社会そのもののあり方を考える一助になる。

2　経済はどうなるか

主要各国のＧＤＰ

２０２０年１月13日にＩＭＦ（国際通貨基金）は、２０２０年度の主要各国のＧＤＰ（国内総生産）を予想した。この時点では、コロナ禍は表面化しておらず、従来通りの算出方法で表を作成している。引用しておこう（図１－１）。

その後、世界中がコロナの直撃を受け、予期されたことであったが、ＧＤＰの大幅な下方修正を余儀なくされた。２０２０年７月30日にアメリカ財務省は、同年４～６月期のＧＤＰがマイナス32％であったと発表した。これはもちろん、コロナの蔓延によるロックダウンや経済活動の自粛などの影響である。アメリカは、２００８年のリーマン・ショック時の10～12月期に、年率マイナス８・４％であったが、それをはるかに超えるデータである。アメリカもコロナ禍のなかでただ手をこまねいていたわけではない。「ゼロ金利政策」などで経済活性化を図ろうとしており、大幅なマイナスは続かずに、もち直すと見られている。

日本の状況も合わせて確認すると、２０２０年７月30日に、内閣府は２０２０年のＧＤＰ予想をマイナス４・５％と下方修正した。各調査機関では、日本銀行はマイナス４・７％、民間調査機関はマイナス５・44％、ＩＭＦはマイナス５・８％と予想している。アメリカと同様にこれが次年度まで継続されるわけではなく、２０２１年度はプラスに転じる見込みだという。

ＥＵについて、同委員会は２０２０年７月７日に、ＧＤＰの全体予想をマイナス８・３％と

図1－1　コロナ禍以前のIMFによるGDP予想（2020）

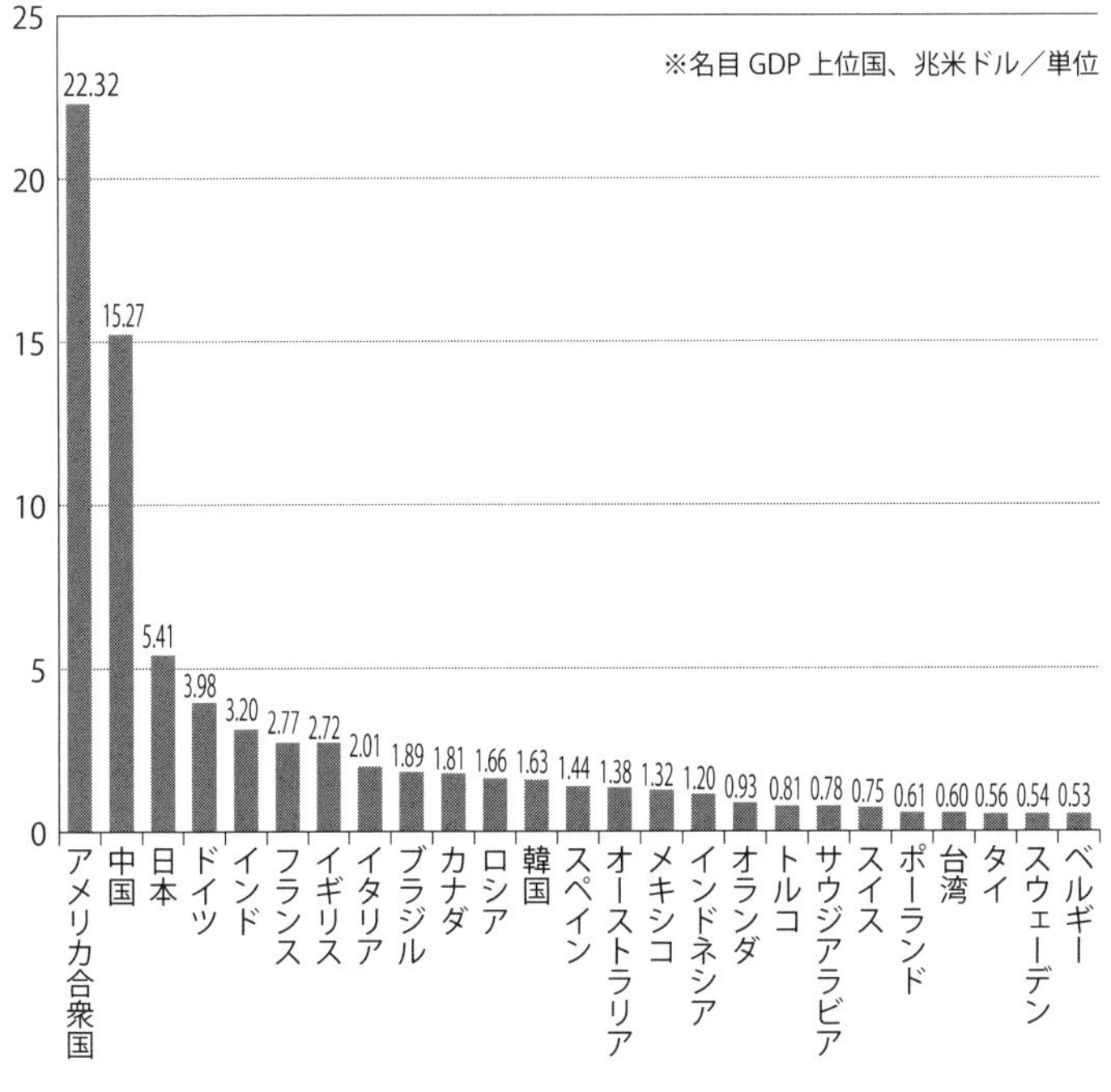

発表した。そのうち、主要国ではイタリアがマイナス11・2％、スペインがマイナス10・9％、フランスがマイナス10・6％、オランダがマイナス6・8％、ドイツがマイナス6・3％と予想している。さらに同年7月31日のEUの発表では、4～6月期に前期比マイナス12・1％となったという。

　これらの多くは第二波、第三波を被らず、おおむねコロナが収束するという前提の予想のため、正直なところ次年度以降の見通しは立っていない。2020年7月現在、各国の状況は異なるが、日本では第二波とも思われる兆候が見られ、感染者数が増加に転じている。にもかかわらず、政府は「GoToトラベル」など、経済活動への前のめりの政策を推進しようとしているので、そのままであれば今後の状況は厳しいといわざるをえない。

世界のコロナ対策の成功例を見ると、台湾や韓国の実例が示すように、地道にPCR検査を徹底させ、感染者と非感染者を分離し、一つ一つクラスターの根源をつぶしていくことしかない。2020年6月から、ニューヨークもこの方法を踏襲し、死亡者ゼロを達成した。経済問題の総論は、経済とコロナ対策のバランスを取りながら対応するという結論になる。しかし、コロナと経済問題は、以上の総論より具体的な各論がとても大切である。

コロナ後の経済の展望

コロナ後の経済問題を展望すれば、ファクターは多岐にわたるが、極めて広範な問題を内包している。ここでは経済と密接にかかわる4点だけピックアップしておこう。コロナは、

1. 産業構造の地殻変動を引き起こした。
2. 経済的格差、人種問題、社会的弱者をクローズアップした。
3. 人間の心理面に大きなストレスをかけ続け、それが経済の足をひっぱっている。
4. イノベーションを触発するという要素ももち合わせている。

個別には以下で適宜論述し、ここでは概要を述べておこう。1について、人と人との接触を避けるという意図から、コロナは新しいスタイルの働き方を生み出した。すでにテレワークなどがはじまっているが、今後、在宅勤務だけでなく、IT（情報技術）を用いたワーク形式が飛躍的に増えていく。同様に、コロナ禍は現金から仮想通貨への転換、ロボット技術の導入、自然を対象とする第一次産業への回帰など、従来と異なった働き方や産業構造を生み出す。ただし、人との直接的な接触が減ると、人びとのフラストレーションは増幅される。そのため、いかにコミュニケーションをとるのかが問われよう。

2においては、コロナに直撃された職種、とくにサービス業をどのように活性化させるかが問われる。対人接触の方法、除菌、経済的被害者の救済、社会的弱者に対するセーフティネットの構築の手順など、その課題は多く、一筋縄ではいかない。3は、コロナの不安感、ストレスをどのように払拭するかという問題である。これは多分に心理学に関連するが、実は政治的リーダーシップと深くかかわる課題でもある。時代の閉塞状況もリーダーの示す展望によって打破することができることが多いからである。

4は、コロナが新しいかたちの産業革命を引き起こし、次世代を担うイノベーションを生み出すきっかけになるということである。中世末期のヨーロッパのペスト禍において、ヨーロッパの近代化へのステップとなった事例などが参考になるだろう。

3　コロナはどの産業構造を襲ったのか

コロナと第三次産業の変貌

一般には、農林水産業を第一次産業、主に工業製品の製造を中心にした第二次産業、サービス業を中心とする第三次産業に分類する。図1－2に、年次別にそれぞれの従事する人口の推移を引用する。一目瞭然のように、現在では圧倒的に第三次産業従事者が多い。これを前提にして概観すると、コロナと職種には一定の相関関係があることがわかる。第一次産業は自然を相手にしているので、ウイルスに影響されることが極めて少ない。第二次産業の工業製品は、製造プロセス自体にウイルスの影響を受けないことはないが、それより部品などの流通部門、製造工場や施設の作業員にウイルスの影響がある。とくに産業構造のグローバル化によって、製造業でも流通が滞る状況がみられた。

これらに対して、もっともウイルスの痛撃を受けるのは、圧倒的多数を占める第三次産業である。いうまでもなく、サービス業には運輸・通信業、商業、金融業、芸能、教育、公務員も含まれる。とりわけ航空業界、鉄道各社などをはじめ旅行業、飲食店、ホテルなどのサービス業は、直接的に大きなダメージを受け、軒並みに収入減に見舞われている。かろうじて、宅配やテイクアウト方式によって、苦境を乗り切ろうと努力しているところもある。

第三次産業は前述のように多様な職種を含むが、これらの職種はＩＴ化によって対面ではなく、非接触型方式に変換しているところが多い。具体的にいえば在宅型テレワークの場合、通

図１－２　産業別就労者数

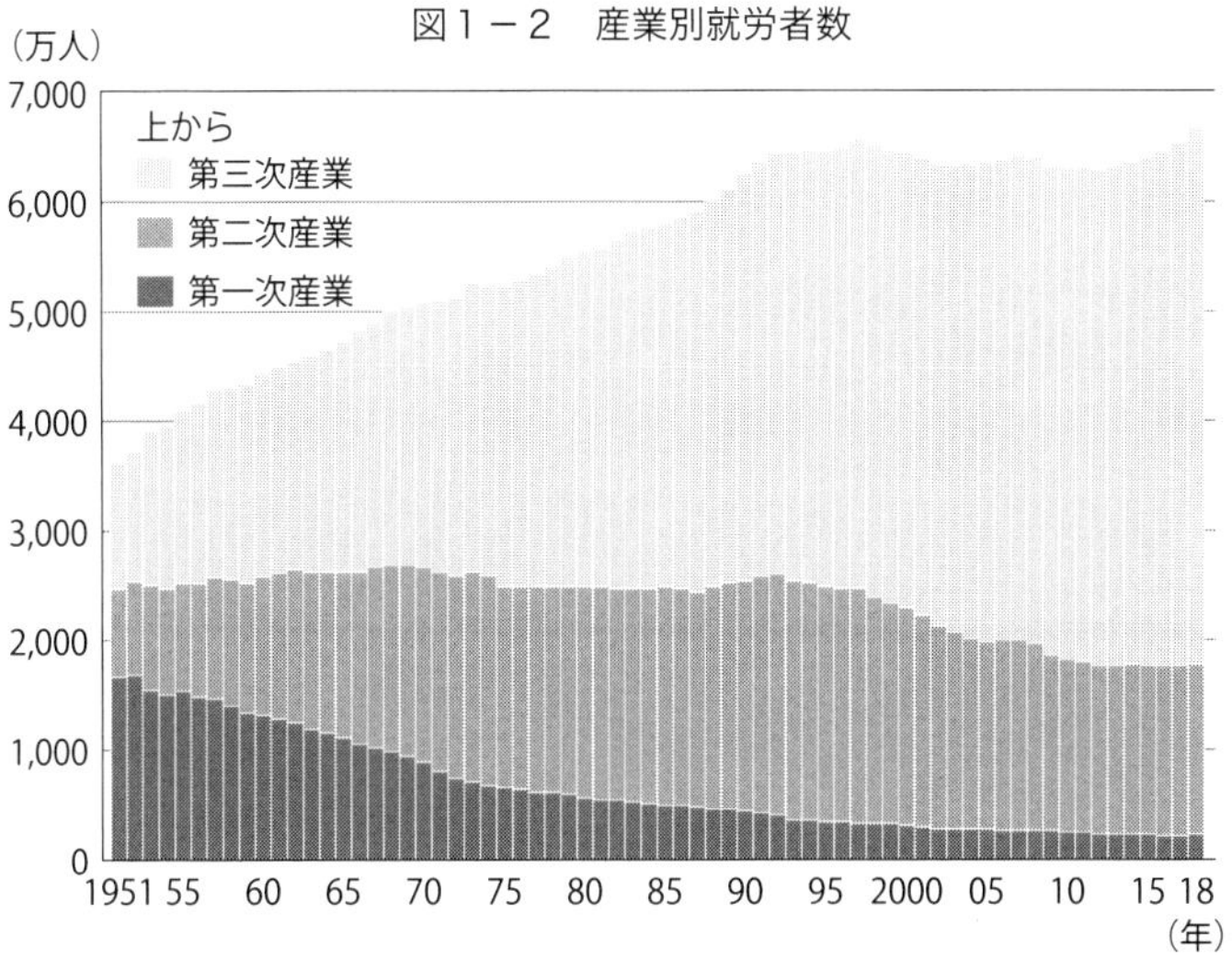

出典：総務省「労働力調査」

勤時間が消滅し、労働形態も都市部に集中したオフィスから自宅へと分散型に変化する。仕事の内実については成果主義になり、副業の可否も問題になる。このようなことは一見、枝葉末節のようであるが、多くの連鎖反応を引き起こす。ライフスタイルの変化は、交通機関や都市の飲食業にも影響をおよぼしていく。車通勤による石油消費の削減、紙の使用量の軽減など、モノの消費にも関係する。

　しかし本質的な問題は、第三次産業でも職種によってデジタル化し易いところと、し難いところの構造格差が生まれることである。すなわちネットショッピングなどのマーケットは、あらたな雇用を生み出すが、飲食業などは現実に倒産するところが続出している。ヨーロッパではその対応策として、これまで軽視されてきた第一次産業の農業への転職が勧められている(178ページ参照)。それは産業の原点回帰現象であるが、地方創生の流れに合致する。このように、コロナは一方ではデジタル化を促進し、他方では地に足のついた生活に戻るという、産業の構造改革を促進する。

直撃されたスポーツ、エンターテインメント

現代では、スポーツや劇場型エンターテインメントが全盛期を迎えている。その世界的な規模の催しはオリンピックや万博だが、エンターテインメントはテーマパーク、ライブ、コンサート、劇場などの音楽・芸術活動、伝統的な祝祭行事をも包括する。コロナは、音楽や演劇、伝統芸能など、芸術にかかわる文化の根幹を担う人びとをも直撃した。収入源を絶たれた芸術家は、創意工夫をして活動を継続したり、コロナの収束まで公的な補助金に頼ったりして、なんとか生き延びるという状況に追い込まれている。

本来、第三次産業であるサービス業の抱える問題に立ち入らねばならないが、ここではおもにスポーツやエンターテインメントに限定して分析してみたい。コロナによって、現代社会に占めるこれらの役割の大きさを思い知らされたからだ。

スポーツやエンターテインメントは密集空間を作るため、中止か、観客数を制限するか、あるいは無観客興行となった。劇場化したスポーツイベントであるオリンピックは、2021年に延期された(現在の状況では、2021年の開催を危惧する者も多い)。オリンピックは感動を

生み出すドラマであり、そこから生まれるカタルシス（自己浄化）は両刃の剣の側面をもっている。健全な社会のカタルシスとしては、非日常性の空間を作り出し、日常のストレスや憂さを発散させる作用がある。ところが、劇場型エンターテインメントが生む巨大な熱狂性は、ナショナリズムを醸成し、現代社会が抱える社会的な矛盾をカムフラージュする効果もある。その体制維持の機能のために、為政者たちはオリンピックを推進したがるのである。

もうひとつ、オリンピックはインフラ整備という巨大な経済効果をもたらす。このエンターテインメントは、景気の落ち込んだ時には、カンフル剤の役割を果たすからである。それは実際の経済発展と、沈滞したムードを払拭する牽引車となる。商業主義化した現代のオリンピックやワールドカップは、別の見方をすれば巨大な利権をも生み出す。施設の建設費によって企業は潤い、オリンピックの放映権とスポンサーによる提供は膨大な資金が集積されるシステムである。資本主義の宣伝媒体としてのこうしたメディアの肥大化は、富の偏在化を促進し、ますます格差社会を助長する構造をもっている。そして、民衆にとっては、オリンピック、万博、テーマパークなどのエンターテインメントが、夢であり現実から遊離した時空をつくり出す巨大装置なのである。

カーニバル化した社会

現代社会では独身者が多く、個人が孤立し、家族すら核家族化している。都市部では近隣の共同体がほとんど崩壊してしまった。そのようなかで、スポーツやエンターテインメントなどは疑似共同体を生み出し、そこで人びとは同好の仲間とともに一時的に孤独から逃れることができる。それを介して社会とのつながりや感動を見い出すことも可能である。すでに、このようなイベントは不可欠なものになっていた。そして、イベントが終われば、人びとは何のかかわりもない個人にそれぞれ帰っていく。

その疑似集会は、社会学ではカーニバル化した社会と評されることがあった。非日常の祭りであるカーニバルが毎日生まれ、日常化されている現象によって、かつてあったはずの祭りと日常の境界がなくなった。孤立化した現代人は、一時的な祭りの時空でストレスを発散し、非日常的な異界へ逃避を求めてイベントに参加している。このカーニバル化は、現代社会の必然の結果であった（鈴木謙介『カーニヴァル化する社会』講談社現代新書、ただし同書ではネット社会の分析）。というのも、かつての村落共同体のなかで、祭りは民俗学的にハレとケの入れ替わる時空であって、不可欠な儀礼であったが、都市部では本来の祭りは衰退してしまったからである。

共同体をなくした人びとは、ライブ、競技場、劇場、コンサート、居酒屋などで、その代替を求めた。それぞれが見知らぬ人同士でも、その場で一体化し、あとは解散して人びとはカーニバルから日常に戻る。ところが、コロナはそのカーニバル化した社会そのものを痛撃し、現代社会の疑似共同体を分断してしまった。まさしくこの感染症が現代社会の集団的カーニバル現象に冷水を浴びせかけたのである。コロナは社会が一時的にカーニバル化していた「躁」状態を、「鬱」状態へ変貌させたといえる。そうしたなかで、とくに若者たちが、外出自粛の要請を無視して「夜の町」へ繰り出す光景も見られた。

このようにコロナは、人びとを単調な日常性の世界へ閉じ込めてしまった。まさしく今回の社会現象は、スポーツイベントやエンターテインメントの本質を考えさせる契機にもなった。

4 感染症を培養する都市文明

文明の宿命

古代から、文明は都市化によって発展してきた。都市は、必然的に農村から人口を吸収し、遠隔地からも国境を越えて人びとを集める。行政機関、雇用、娯楽施設、教育、医療、公共サービス、駅などの多くの機能があるからだ。しかし、人口が集中する大都市は、貧富の差や人口過剰、環境汚染、犯罪の増加などの矛盾も生み出してきた。そして、大都市はウイルスの格好の培養器ともなった。

有名な不潔都市としては、17～19世紀のパリとロンドンが例示される。これらの都市は、自然発生的に人口を吸収して肥大化していき、矛盾を抱えることになった。排せつ物の処理や下水道まで目配りがいかなかったので、市民は糞尿を道路に撒き、悪臭が漂う光景が日常茶飯になった。路上でブタを飼ったり、大量のネズミが出没したりした。その結果、ヨーロッパでは波状的にペストやコレラなどの感染症に襲われてきた。

フランスでハイヒールが生まれたエピソードも、道路の汚物を避けるためという通説が有

図１－３　18世紀のパリの道路

名であり、天下のヴェルサイユ宮殿ですらおまる式のトイレが使われていたという伝説がよく知られている。産業革命以降、ヨーロッパの大都市は同じような人口集中の矛盾を抱えるようになった。パリで下水道や上水道の整備、都市計画などの改造がおこなわれはじめたのは、19世紀後半になってからであった。もちろん、ナポレオン3世によって都市改造が実施され、それ以降パリはきれいになったし、シャワーや入浴の習慣も復活した。

ヨーロッパだけでなく、世界各地の多くの大都市は、同様な発展プロセスを経ることになる。図１－４のグラフは、１９５０年からの世界の各大陸の都市化傾向を示すものである。ここからも、世界各地で都市の人口集中が起きていることがわかる。感染症は、都市部の人と人との接触から蔓延するという特性から、都市化と密接な関係にある。ウイルスにとって、都市部はもっとも増殖しやすい環境にあるといえよう。これは文明化の宿命ともいえ、現在のコロナ禍

図１－４　地域別都市化率の推移

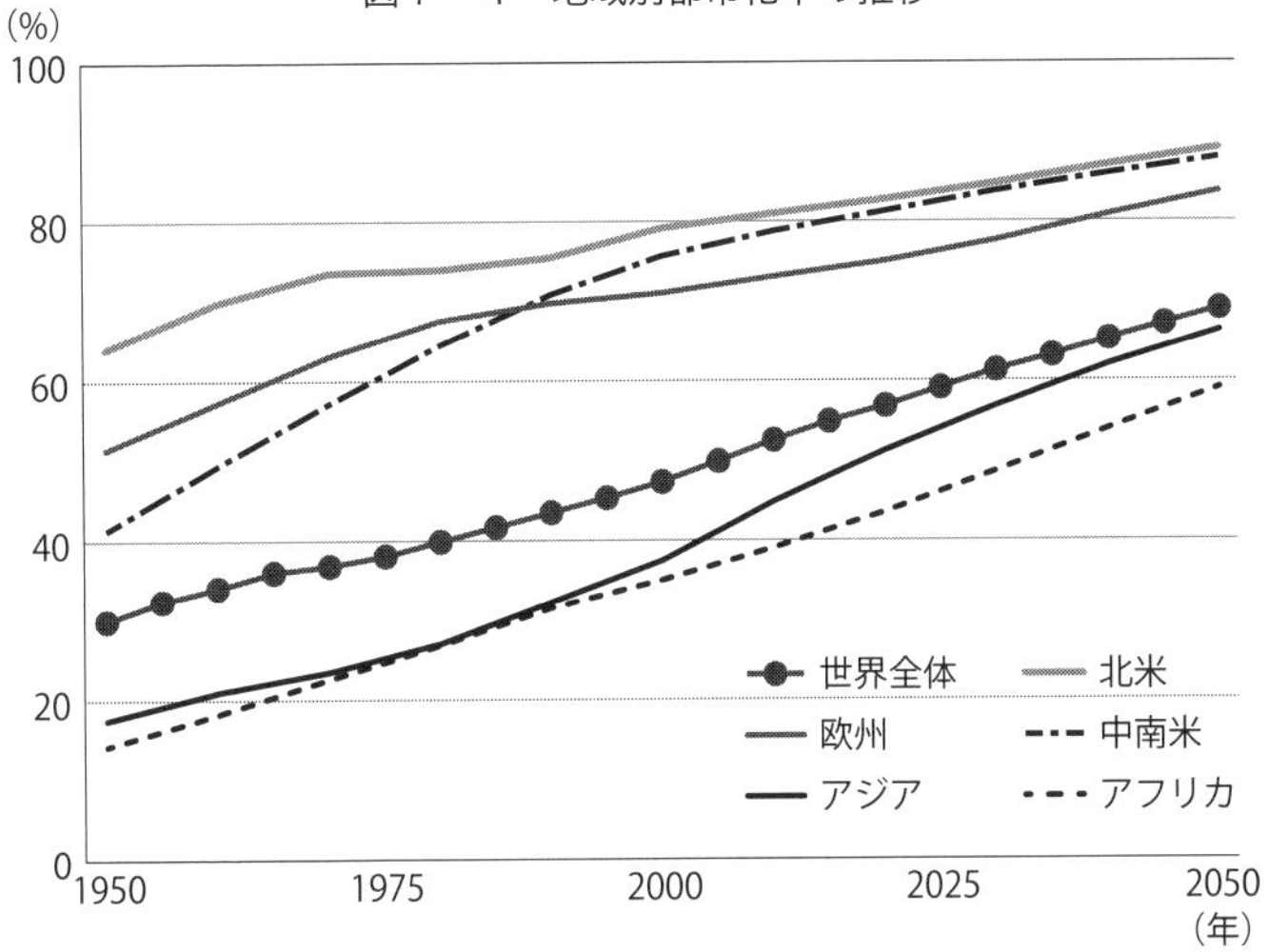

※2020年以降は予測値
出典：国際連合のデータをもとにニッセイアセットマネジメントが作成

もその延長線上にある。

発端となった武漢市

都市化とコロナとの関係は、今回の発生の地、中国の武漢市を例にとってみるとわかりやすい。武漢市は、人口１１００万人を数える超巨大都市である。ＧＤＰ世界第２位となった中国の急速な経済発展は、農村部から都市部への人口流入によって支えられた。実際には、中国には「農村戸籍」と「都市戸籍」があって、農村部から都市部への移動は厳しく制限されてきたとはいえ、「農村戸籍」のまま社会保障などで不利益をこうむっても、都市部へ移動する人びとが多かったのである。

武漢市は日本のホンダ、日産など

の企業が進出している商工業都市でもあった。企業側でも安い労働力は魅力であり、「世界の工場」ともいわれる発展期の中国では、サプライチェーン（供給連鎖）によって労働力が必要とされた。このように、武漢市のある湖北省全体で人口は５８５０万人に膨れ上がり、急速に都市化した。高速鉄道を使えばこの省都は北京、上海、広州、重慶への交通の要衝でもある。

人口の集中した巨大都市は、コロナの住処となり、格好の培養器ともなった。住空間、オフィス、劇場、店舗、駅、電車や列車、地下鉄、商店街、飲食店など、人と人とが接触せざるをえない場所があまりにも多いからだ。

武漢市の場合、移動は春節の習俗と深く結びついていた。その経緯を簡単に確認しておこう。２０２０年1月9日、中国は新型コロナウイルスについてＷＨＯ（世界保健機関）に報告した。感染対策の遅れた中国が、初動の段階では事実を隠蔽しようとしたことは確実である。次々と患者が発生し、武漢市の深刻な状況を映し出した映像は人びとを震撼させた。病院へ殺到する患者たち、長い待機時間、そして感染症隔離病棟の不足がクローズアップされた。1月23日に武漢は封鎖された。1月24日から1月30日までが春節であったから、その措置には人の移動を阻止する狙いがあったものと想定される。

封鎖という対策は、大陸でよくおこなわれる。それは都市の発達と構造を見ればわかりやすい。かつて、陸続きの大陸では、市壁をつくり、物理的に外敵の攻撃から市民を守ってきた。その極端な事例が、国境を守るという目的でつくられた萬里の長城である。しかし、封鎖という手段は都市の機能を停止させ、麻痺させる「禁じ手」に他ならない。

ところが、武漢ではそれを察知した約500万人の人びとが都市封鎖の前に各地に移動した。これがコロナを急速にかつ広域に伝播させる要因となった。さらに、当局は春節休暇の延長を打ち出し、原則として2月3日まで休業にして封じ込めようとした。こうした所作は、もはや手遅れだった。

春節の休暇は中国人にとって、里帰りや観光を目的とした海外旅行をする期間である。とくに、日本や韓国をはじめ、中国の近隣地域に多数の中国人が旅行し、そのなかの感染者が瞬く間にコロナをおもにアジア地域に広めた。このように、近年の交通網の発達や中国人の富裕化によって、感染症の拡大はスピードを増した。また、感染を促進したのは交通機関だけでなく、人口が密集した都市そのものの構造にある。世界ではどの国でも、大都市がパンデミックの引き金になって、地方へコロナが蔓延していくというパターンをたどった。

コロナの温床と化した巨大都市

アメリカでは、2020年8月7日現在、感染者は488万3582人、死者は16万104人を数え、世界最多を記録している。ニューヨーク州は、人口約2000万人、市の人口約800万人を数えるアメリカ中枢都市である。ここは、コロナ被害のもっとも大きな都市としてクローズアップされた。2020年3月22日からのロックダウンを経て、4月には死者が1日800人を超え、とうとう医療崩壊が発生した。7月に入ってようやく死者がゼロとなり、コロナの収束宣言がなされた。

歴史的に、植民地からスタートしたニューヨークは、もともとネイティブ・アメリカンの居住地であった。ヨーロッパから入植したフランス人、イギリス人、オランダ人たちがその先住民を排除したり、虐殺したりした。やがてイギリスの植民地領となり、独立運動を経て、アメリカ合衆国の最大都市に発展した歴史を有する。そしてニューヨークは現在、アメリカ資本主義の「牙城」となっている。

ニューヨークに住む富豪はコロナ発生時に社会的接触を避け、いち早く自宅に引きこもることができたが、ヒスパニックや黒人などの貧困層は、危険を承知で働かざるを得なかった。しかもかれらは肥満や糖尿病、心臓病など持病を抱えていることが多い。そのうえ保険に入っていないので、医療費が高すぎて病院にも通えない。こうして、被害にあう人びとは貧困層に集約されるという構図が生まれる。ニューヨークのコロナ禍は、アメリカの植民地主義や人種主義、資本主義の歴史と無関係ではない。世界的な大都会であるニューヨーク市には、現代文明の矛盾が集約されているといえる。

5　異形の東京一極集中

タワーマンション

世界の大都市と比較すると、東京都のコロナ感染者数は少なく、３５２０人（２０２０年8月15日現在）である。しかし、日本国内で東京の感染者数が群を抜いていることは誰でも知っている。東京都の人口が1400万人（2019年）、東京首都圏まで拡大するとおよそ3800万人となる。コロナの第二波は、東京首都圏から名古屋、大阪、札幌、福岡など大都市部へ広がり、さらには地方へと拡散していった。

異形ともいえる東京一極集中は、現代文明の急所となる。とりわけ、今日の東京の過密化は、大地震などの災害にもたいへん脆弱である。識者はたえずこのことを警告してきたが、首都機能が麻痺すれば、日本全体が再起不能になるほどのダメージを受けることは容易に推測できる。今回のコロナはその前兆ともとれる。

都市化のなかで、とりわけ超高層ビルはコロナにきわめて弱いことがすでに指摘されている。天にも届くタワーマンションには、エレベーターが完備され、50階以上の高層で、東京では価格が一億円を超えるものも少なくない。上層階の眺望はすばらしく、都心の一見快適な住空間のように見える。これは利便性を追求した現代版のバベルの塔にほかならない。

図1－5　東京のタワーマンション

しかし、もっとも自然と離れた住空間で、万一災害によってエレベーターが止まれば、悲惨な結果となり、水道やその他のトラブルでも、日常生活はおぼつかなくなる。そのうえコロナの攻撃を受けると、孤立して近隣の交流も遮断される。住民の連帯もなくバラバラになってコロナ禍に耐えなければならない。子どもたちは外で遊ぶこともできず、室内へ閉じ込められてしまう。最新の住空間が、人間の原点から遠くかけ離れたものであることを思い知らされる。

これは人間の思い上がりの結果、神がバベルの塔の建設を中断させた故事とパラレルな関係にある（158ページ参照）。だが現在、かつてバベルの塔の建設を中断させた神はいない。その代わり、コロナが人間の傲慢さを制裁する役割を担っているといえる。便利な大都市の人口集中化に対して、コロナは人間の欲望に制裁を与えていると解釈できる。

現在の生活の基盤は確固たるものと思われているが、すでに述べたように人間は薄い殻の上に乗って日常生活を送っていただけで、その殻の下には奈落が口を開けているのである。

集中化から分散化へ

かつて、大都市ロンドンは人口過剰になると、北の56キロメートル離れたレッチワースを鉄道で結び、郊外に田園都市、あるいは衛星都市をつくることによって活性化に成功した。それを手本にした日本では、結果的に衛星都市が大都市の肥大化を加速させ、一極集中型の巨大都市を増殖させてしまった。衛星都市の多くは都心と鉄道網によって結ばれており、ベッドタウン化して、大都市の人口がむしろ増加したからである。

地方都市や村落は大都市に人口を吸収され、「スポンジ化」現象によって人口の減少が顕著となり、過疎化がさらに進む。現在、コロナ禍を経て真剣に考えなければならないことは、人口の集中化である。この方向を逆転させ分散化させることは、言うことは易しく実行は困難である。

ただ、地方分権制という理念とセットにすれば、コロナ禍はそれを逆方向へ向ける端緒になるかもしれない。もちろん、都市生活に慣れた人びとは、日常生活や医療体制を勘案して、自然あふれる田舎へ移住することには二の足を踏む。したがって、その受け皿が整備された田園都市構想が、将来性を勘案しても妥当な政策といえよう。

コロナ禍以前から、国土交通省の肝いりで、コンパクトシティ構想が唱えられ、重点政策化されてきた。具体的には、富山市や熊本市などでいくつかの試みがなされてきた。しかしコロナ対策としては、その特性を勘案してコンパクトシティ構想の見直しが必要である。というのも、地方都市でもミニ東京型の密集都市を構想したのでは、同様にコロナの温床になってしまうからである。

町づくりとしては、フラット化、デジタル化、エコ化、ナチュラル化などがキーワードとなる。フラット化は、建物の高層化を避け、低層・中層までを基本にすることを意味する。デジタル化は接触を回避するＩＴ機器の利用、エコ化はできるだけ地球環境に負荷をかけない、たとえばＥＶ（電気自動車）や自転車などの利用、ナチュラル化は自然に触れるシステムを考えるという意味である。

もともと中央集権国家の日本が今日の東京一極集中化を招いたといえるが、一見、機能的であったこのシステムは、これまでも多くの都市問題を生み出し、コロナ禍以前でも、首都移転構想や地方分権、地方創生構想が打ち出されてきた。ところが、その改善策はほとんど具体化されなかったというのが現状である。道州制や地方分権構想は日本でも話題になるが、まず地方分権制といっても過去の実例もなく、また目指す目標がないため、実感としてイメージがわかないことが多い。しかし、すでに実際に地方分権国家として運営されている例を見れば、別の仕組みもあることがわかる。

地方分権制のイメージ

地方分権的な連邦共和国は世界にいくつか実例がある。たとえば、ドイツは連邦共和国と表記されるように、明らかに地方分権国家である。歴史的にも、国家統一や州の成立が遅く、実質的に州やそれに準じた地域が国家のような機能を果たしていた。そのため、現在の連邦国家でも州の権限が大きく、州ごとに首相や大臣を擁する政府があり、立法権もあるので、地方も独自性を発揮できる。その州の上にある連邦政府が外交政策や国防などを統括しているが、連邦政府に文科省はなく、教育は州が担当しているので、分権統治システムは徹底している。また、スウェーデンも、国防や外交は国家に、その他は地方に権限が委譲されており、ドイツと類似しているといえる。

従来のように、地方分権国家は国が地方の上位であるという「親方日の丸」の発想でなく、国と地方は役割分担の違いであって、対等の関係であるというのがその原点である。しかし、日本の地方交付税の仕組みを見れば、やはり国家が上位で地方自治体が下位であることがわかる。その一例として、近年話題の「ふるさと納税」制度を統制するのが総務省であるという実情は、中央集権国家であることを示している。

日本の場合、歴史的経緯からドイツのような連邦国家は困難であるが、地方分権への方向転換は、すでに1999年の「地方分権一括法」の公布にあったといえる。すなわち、この法律によって国と地方が「対等・平等」であるという理念が打ち出されたことは、一歩前進したと考えられる。今回のコロナ禍に際し、国と地方の負担をめぐって両者の確執があぶり出された。緊急事態宣言下における休業の業種選定もそうだが、休業手当についても対立は生まれており、コロナ対策における国と地方の温度差は大きい。直接、地方の自治を担っている知事は、住民の現状や苦境を見ているだけに、真摯に取り組んでいる姿を人びとに強く印象づけた。

転出と転入の転換期？

ここで東京一極集中の是正に話を戻すと、東京の人口を分散させる方法は、省庁を地方移転させることであり、その抜本的な対策は首都移転である。エジプトはすでに実施しようとしているが、日本では本気で実施する見込みがほとんどない。唯一、文化庁の京都移転も先送りされ、2022年になりそうである。よほど切羽詰まった状況にならないと、こうした取り組みは後回しにされる。

図1－6　東京圏の企業移転動向

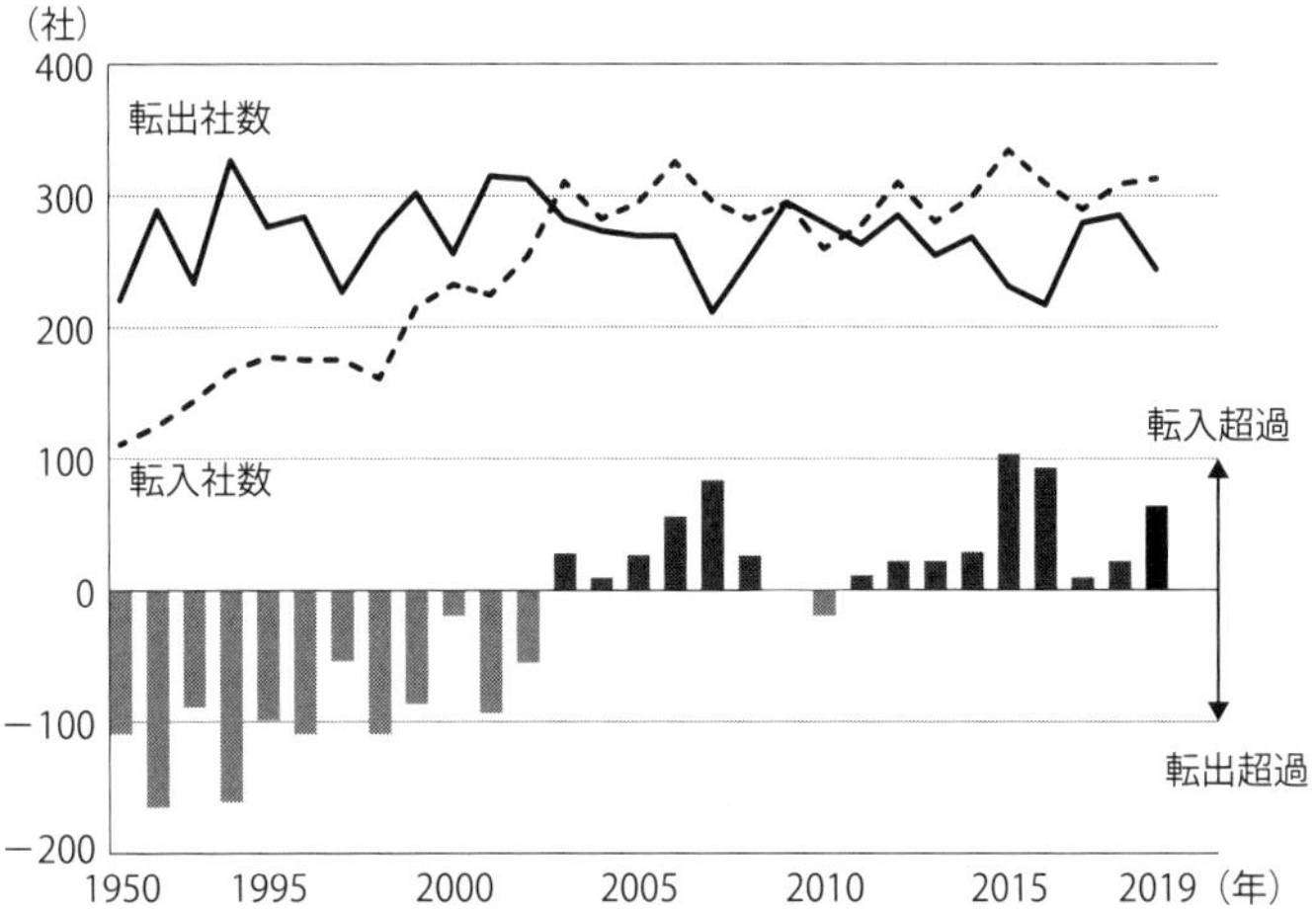

出所：帝国データーバンク

同様に、首都圏に集中している大学の地方分散化も、人口動態からすれば大きなメリットがあるが、大学関係者の腰はあまりにも重い。というのも、地方に移転すると、志願者が減り、大学の質的低下が懸念されるからである。むしろ、このような状況下でも大学の都心回帰がみられるほどである。

官庁や大学だけでなく、企業の本社機能の東京集中も極端である。企業にとっても、東京に本社を置く方が効率的で、多くの意味で有利であるからだ。本社を地方に移転としようというかけ声は、たいていは無視されるだけである。これまで東京転入社数が増加し続けてきたことが、それを物語っている（図1－6参照）。この傾向に歯止めをかけるためには、たとえば、地方移転をすれば、税制において有利にするとか、インセンティヴを与えるという方法が有効である。

地方や弱者にしわ寄せが集約される現状において、国家優位や中央集権の発想ではなく、ボトムアップの方式に新たな可能性を見い出す必要がある。それに国の省庁、大学、企業、シンクタンク、NPO法人などが加わり、叡智を出して総合的、抜本的な制度設計をしなければならない。

今回のコロナ禍によって、東京一極集中の解消の機運が生まれるかもしれない。これだけITが発達し、情報伝達が高度化した時代である。あらゆる会社運営が地方でもリアルタイムで可能となる。そのために必要なキーワードは「分散」であり、近未来の中核都市構想も、地方への人口分散を念頭に置いて設計をする。分散化には強力なリーダーシップを発揮できる人材が必要である。手をこまねいているだけでは、一極集中と地方税収の東京ひとり勝ちは、改善されないだろう。

魅力的な町づくり、日本型シリコンバレー

基本ポリシーは、住民が主役の魅力ある町づくりである。「地域ブランド総合研究所」がおこなった2019年度の市区町村の魅力度ランキングを見ておこう。図1-7のランキングは、観光名所を中心にブランドをもつ市町ばかりのような印象を与えるが、ブランドがなければ、工夫して住みたくなるような町づくりを目指すべきである。

魅力ある町づくりはいったいどうすればできるのだろう。特筆すべきモデルは徳島県神山町

のケースである。最近、メディアでも取り上げられ、有名になったので、周知のことかもしれない。現在、神山町は人口5300人であるが、かつて人口減少に苦しむ典型的な過疎の田舎町であった。風光明媚な自然に恵まれているが、特産物といえばスダチくらいである。そこに仕掛け人の大南信也氏が地方の行政とタイアップし、2004年に地方創生をスローガンにNPO法人の「グリーンバレー」を立ち上げた。これは基本的には地方分散化のプロジェクトである。

氏はシリコンバレーのあるスタンフォード大学院で学び、アメリカでの経験を活かしなが

図1－7　魅力度ランキング

順位	市区町村名	都道府県名	点数
1（1）	函館市	北海道	53.7
2（3）	札幌市	北海道	52.9
3（2）	京都市	京都府	51.0
4（4）	小樽市	北海道	48.0
5（5）	神戸市	兵庫県	44.9
6（6）	横浜市	神奈川県	44.2
7（8）	鎌倉市	神奈川県	43.1
8（9）	金沢市	石川県	42.2
9（7）	富良野市	北海道	40.8
10（10）	仙台市	宮城県	39.3
10（11）	日光市	栃木県	39.3
12（17）	熱海市	静岡県	38.2
13（28）	箱根町	神奈川県	36.6
14（13）	石垣市	沖縄県	36.2
15（18）	軽井沢町	長野県	35.2
16（26）	那覇市	沖縄県	34.2
16（28）	旭川市	北海道	34.2
18（19）	別府市	大分県	34.1
19（15）	屋久島町	鹿児島県	34.0
20（16）	長崎市	長崎県	32.8
21（31）	宮古島市	沖縄県	32.2
22（14）	伊勢市	三重県	32.0
23（27）	伊豆市	静岡県	31.2
24（20）	新宿区	東京都	31.1
25（12）	名古屋市	愛知県	30.8

2019年版地域ブランド総合研究所の調査による。
括弧内は昨年度の順位。

ら、故郷の神山町に最新のＩＴ産業化の拠点づくりを目指した。やがて、ここにＩＣＴ（情報通信技術）の起業家たちが集まってきて、古民家にサテライトオフィスが開設され、その結果、２０１１年には町の人口が増加に転ずるという奇跡が起こった。サテライトオフィスは59（２０１８年現在）を数え、町が大いに活性化している。家は空き家を改装し、新規移住者に提供しており、地元民も移住者を受け入れ、意気投合しているという。よそ者を受け入れることに抵抗がなかったのは、かつての四国遍路の「接待」の文化にあるといわれている。

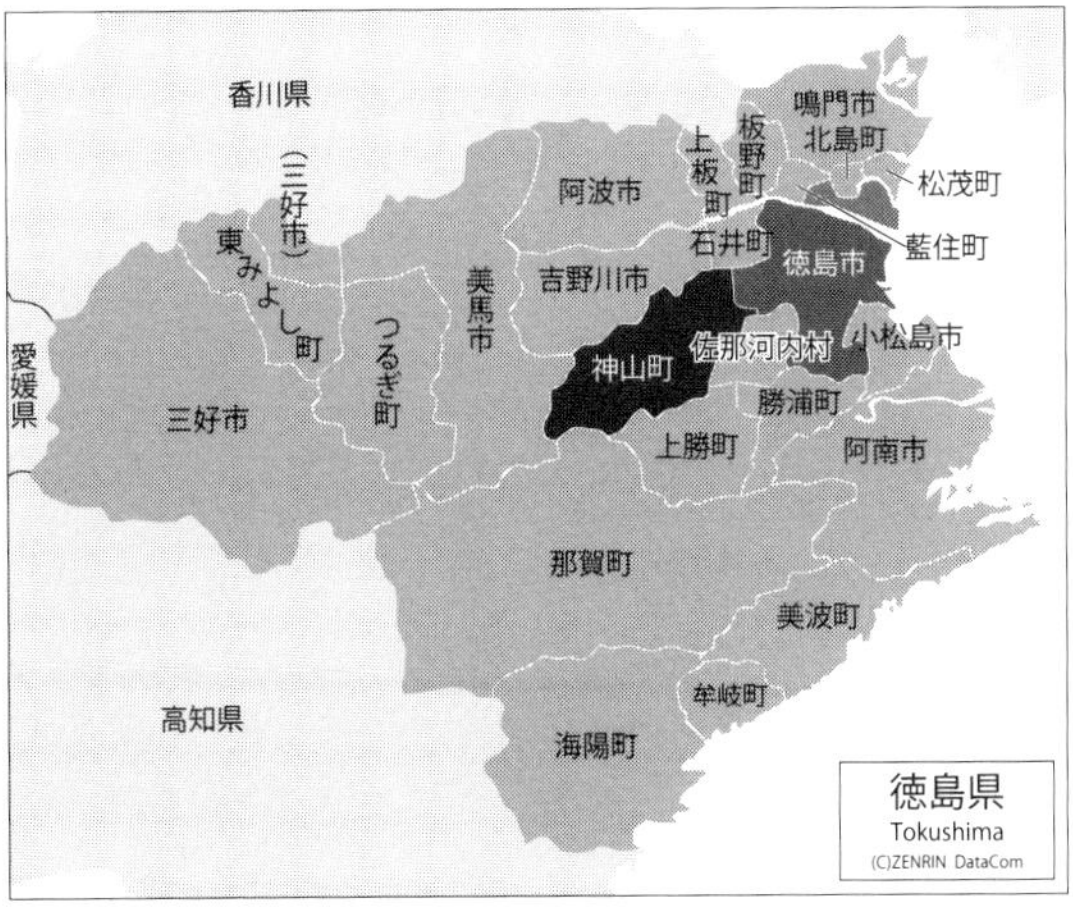

図１−８　徳島県神山町の位置

　移住者のメリットはのんびりとした自然に囲まれ、町民と溶け合いながら、仕事ができるというところであろうか。インターネットは日本だけでなく、世界と瞬時につながる。そしてその事業が雇用を生み出し、町が若返る。町は事業が軌道に乗るよう、できるだけそのサポートをおこなう。これは、アイディアの勝利といえるプロジェクトである。昨今では廃屋がほとんどなくなり、移り住んだ30代の人びとと、住民たちのイベントを通じての交流が深まり、双方がウィン・ウィンの関係になっている。地方創生の成功モデルといえるであろう。２０２３年には神山町にサテライトの高等専門学校を設置する計画がある。

6　グローバル資本主義の暴走

サプライチェーン（供給連鎖）

コロナの蔓延は、世界規模で広がっているが、この問題が他国と広域にかかわっていることを実感させられたのは、店頭からマスクが消えるというありふれた日常的な現象によってである。日本のマスクの大部分は、中国から輸入されていた。いうまでもなく、製造原価を安く抑えるためである。日本全国で、人びとはマスクを求めてドラッグストアや薬局に押し寄せた。たまに入荷しても、すぐに売り切れてしまう。政府は増産体制を強化するといったが、外国依存体制の転換は簡単ではなく、マスク不足は長い間一向に解消されなかった。

これは序章にすぎない。たちまち自動車部品にも同様なことが発生し、海外に進出していた日本の自動車メーカーも生産をストップさせなければならない状況に追い込まれた。現地の中国だけでなく、日本国内においても、トヨタ、ホンダ、マツダ、スバルなどのメーカーが生産ラインの一時的なストップを余儀なくされた。同時に、自動車の需要も少なくなり、売れなくなってきたからである。この流通システムは多分野におよぶ。日本は多くの中国野菜を輸入しているが、その流通にも異変が起きている。アメリカとて同様で、アップルのiPhon製造のための部品が滞る事態に見舞われている。

ウイルスが引き起こした連鎖は、さらに世界中に拡大し、経済活動をストップさせた。こうしてサプライチェーンは分断された。その意味では、コロナはグローバル資本主義のアキレス腱を襲ったといえよう。

グローバル資本主義を促進させたもの

グローバル化した現代社会において、その推進エネルギーは「資本の論理」にもとづいている。大資本は、労働コストの安い外国で製品を造り、それを輸入して自国だけではなく、世界中に販売し、利益を上げている。このグローバル資本主義が世界の経済システムであり、その延長線上に多国籍企業が生まれる。自国内だけでなく、国境を超えて世界各地へ投資し、利益をさらに拡大し、多国籍企業は増殖する。

利益が得られるとなったら地球規模でビジネスをし、資源を買いあさる。そのプロセスにおいて地球規模の南北問題を生み出す。一方では一握りの富裕層が、他方では貧困に苦しむ発展途上国の多数の人びとを支配するという、二極分化が進行した。それは単に経済だけでなく、国際政治や環境問題、食糧危機をも引き起こす（182ページ参照）。

グローバル資本主義を構築する多国籍企業のうち、典型的なものはグーグル、アマゾンなどのＩＴ企業である。情報とモノを結びつける巨大な企業は莫大な利益を得ている。他方で、金儲けのために手段を選ばない投資ファンドは、拝金主義を蔓延させてきた。これは「ハゲタカファンド」と陰口を叩かれ、一種のマネーゲームを繰り広げている。こうした企業は、タックスヘイブンへ本拠地を移転して、「節税」と称して税金の大幅な減免を謀る。健全な企業倫理から見ると、利益の一部を国家や国民に還元し、社会貢献するのが本来の企業であった。モノづくりではない異形の資本主義が蔓延しているのである。

このグローバル資本主義の暴走に痛撃を与えたのがコロナであった。その生命線ともいえるネットワークを分断し、増殖してパンデミックを引き起こしている。さらに、先述のように製造業のサプライチェーンを分断するだけでなく、株式、原油価格、各種相場にも大きな打撃を与え、資本そのものを溶解させている。

それにもかかわらず、グローバル資本主義は訪れた危機すらビジネスチャンスととらえ、マネーゲームを展開する。資本をグローバルに動かし、株式、先物相場、金などを買いあさる。利益を得るためには倫理観などまったく存在しない。しかし、それを推進している人びとは「鬼畜や極悪人か」といえば、そうではない。日常生活においては家族や友人を大切にし、ふつうの社会生活を送っている善人なのである。

したがって、個人ではなく、システムとしてのグローバル資本主義は、搾取されている世界中の大多数の大衆にとって、共通の敵である。では、グローバル資本主義の暴走に、人びとはどのように対抗したらいいのであろうか。現行では暴走を国家の枠内に封じこめ、国境という防波堤をつくって防ぐしかない。これは最近の自国中心主義の流れに符合し、一種のナショナリズムの動向と一致するが、その内実が問題である。われわれは歴史において、ナショナリズムの負の側面を学んできた。ナショナリズムは、自国の利己主義ではなく、国民の公共の福利を原則とする倫理や理念でなければならない。

かつて、欧米では、近代ナショナリズム以前から、キリスト教における喜捨や愛の精神などへの理解があった。その延長線上に、蓄積した私財を教会や公共施設、美術館に寄付するという美風が確固たるものとして存在した。これによって、芸術や文化が育まれてきたといえよう。また、ヒューマニズムや倫理観、ボランティアの精神は長い歴史を有している。しかし、キリスト教の衰退や利己主義の蔓延によって、そのような美風がしだいに少なくなってきた。金儲けや豪奢な生活の追求が富裕層の目標となって、歯止めが利かない状態に陥ってしまった。今こそ、「資本の論理」に対するイデオロギーやシステム、倫理観を再構築することが必要である。

7　新自由主義の弱点

削減された保健所

新自由主義は、グローバル資本主義と理念的には共通するところがある。アメリカやイギリス、日本でも流行となり、1980年代以降、大きな政府から小さな政府への転換や民間への移管がおこなわれてきた。日本では郵政、国鉄、電電公社、専売公社などが民営化されたことは、ご承知のとおりである。よくいわれているように、その功罪として、一方では合理化や経済の活性化が挙げられる。他方、デメリットは、格差社会が深刻化し、経済的な弱者が生み出されてきたことである。

理念からいえば、新自由主義は自由や個人を重視し、競争や自助努力によって経済が活性化するが、反面、公務員の削減や公的制度の縮小によって、社会保障やセーフティネットが弱くなる。その結果、貧困層や社会的弱者にしわ寄せがいきやすい。とくにコロナ禍では、社会的に公共性のある部門を縮小した弊害が露呈し、経済格差や医療制度の問題があぶり出されたといえる。

たとえば、今回のコロナ禍では、日本の保健所の役割がクローズアップされた。「厚生労働白書」によると、全国の保健所は１９９２年に８５２カ所に設置されていたが、２０１９年に４７２カ所まで削減された。さらに、政府は統廃合によって助成金や人員を減らし、その機能を縮小化した。すなわち、国民の健康を担う保健行政も、新自由主義によって「合理化」されていたのである。

コロナ禍が発生した時、厚生労働省はそれでいて新自由主義の立場から離れ、民間の検査機関にＰＣＲ検査を委託することなく、官の立場で検査をコントロールするという、従来型の対応をしたといわざるをえない。こうして、縮小された保健所は殺到する電話に応対しきれず、たらい回しをせざるを得ず、「検査難民」を生み出す結果になった。この問題を解決すべく、行政は保健所ルートだけでなく、公的検査機関と検査人材の確保にシフトすることを余儀なくされた。

格差社会

本来、ウイルスは身分や貧富に関係なく感染するものであるが、今回のケースは経済的弱者に過酷にのしかかってきた。たとえば、非正規労働者が感染すれば、休業を余儀なくされ、休業中の給料の保障について不利な状況に追い込まれることが多い。連合は相談窓口を設けて電話でアドバイスをし、政府も手をこまねいているだけではないが、その助成すら正規雇用は上限8330円、フリーランスは4100円と差がある。

さらに、本人がウイルスに感染していなくても、コロナによる事業所の倒産、人員整理、解雇なども起こりうる。とくに零細な観光業などは雇い止め、休業などによって大きなダメージを受けている。こうした負の連鎖によって、非正規の従業員だけでなく、正規のそれも大きな影響をこうむった。社会的弱者に対するケアがおこなわれなければ、今後、このようなケースも増えていくであろう。経済産業省は5000億円の規模の資金繰りの支援を決めているが、アメリカでは感染防止に5兆4000億円を投入するという。

社会の格差についての目安としては、通常、ジニ係数という数値が用いられる。図1-9に主要各国のジニ係数を示したが、これは「所得格差を測る指標」で、0から1までで表され、数値の高い方が格差の度合いが大きい。もうひとつ、図1-10に2020年8月13日現在のコロナ感染者数のグラフも合わせて引用しておく。両者を比較すれば、東アジアを除くと相関関

図１－９　各国のジニ係数

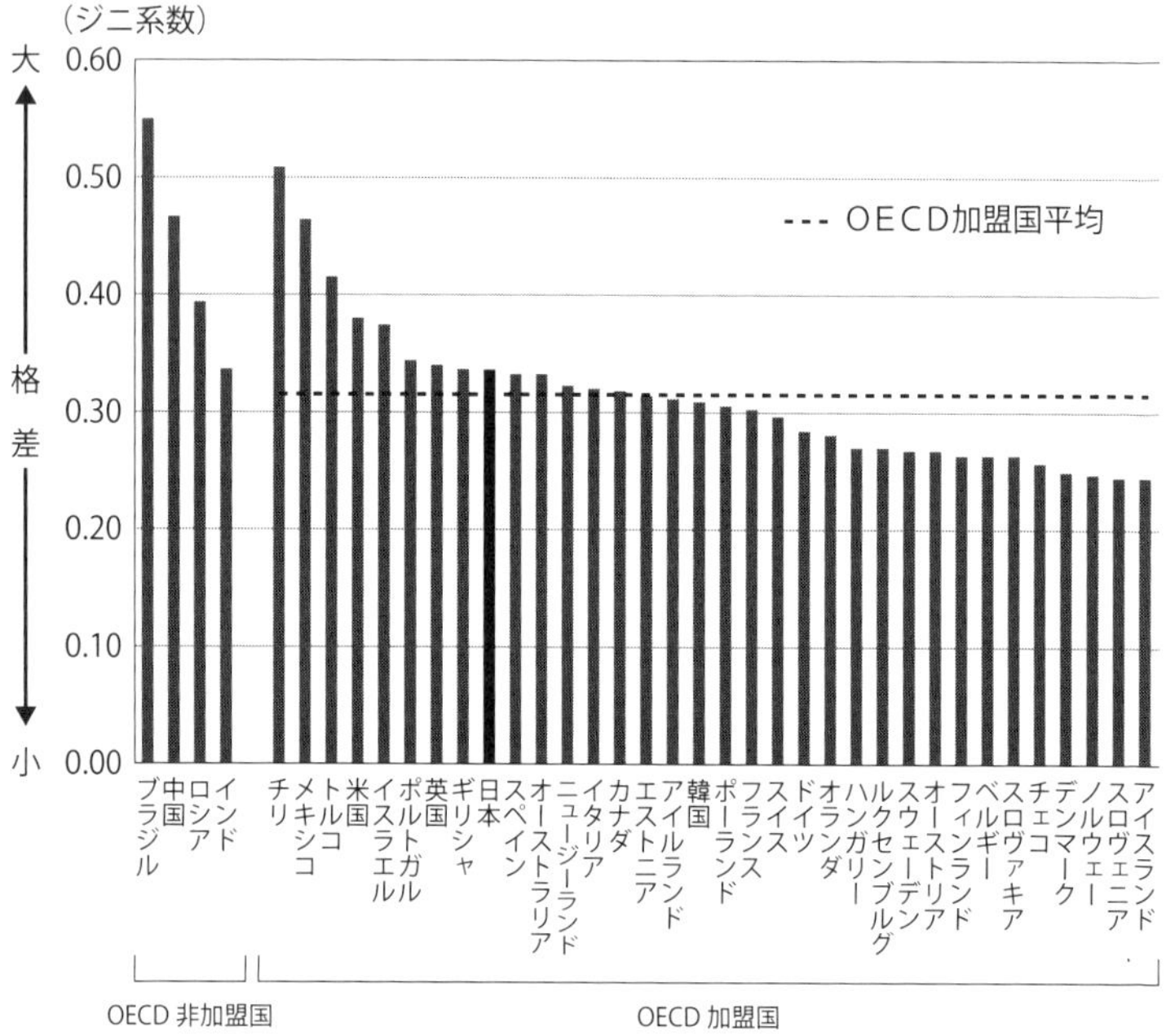

1．ジニ係数の国際比較。ジニ係数は所得等の分布の均等度を示す指標の１つ。ゼロに近いほど格差が小さく、1 に近いほど格差が大きいことを示す。
2．中国は 2014 年、米国・インドは 2013 年、ブラジルは 2011 年、日本は 2009 年、その他は 2012 年。インド、中国、ブラジルは、その他の国と算出基準が異なる点に注意が必要。
出典：OECD 資料より、みずほ総合研究所作成

図1－10　各国のコロナ感染者数の推移
（上位10ヵ国及び中国・日本）

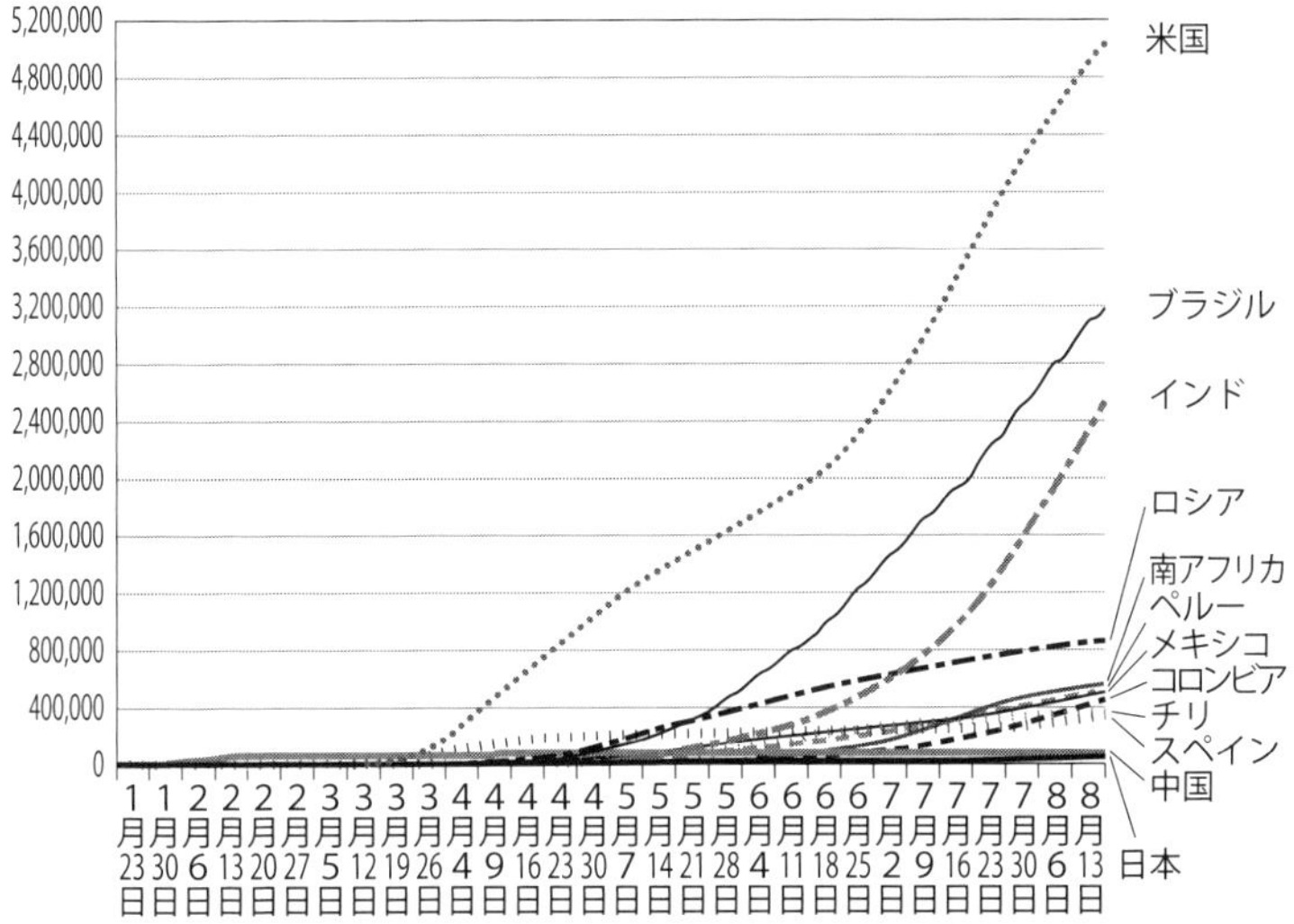

米国	（5,408,617人）	メキシコ	（531,239人）
ブラジル	（3,407,354人）	コロンビア	（489,122人）
インド	（2,702,742人）	チリ	（388,855人）
ロシア	（930,257人）	スペイン	（364,196人）
南アフリカ	（592,144人）	中国	（84,888人）
ペルー	（549,321人）	日本	（57,550人）

出典：各国政府発表（米国は各州発表）
中国は「感染者数」にμ症状感染者を含めていない。

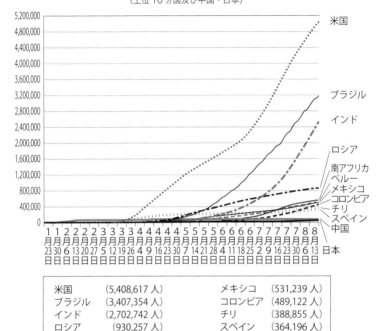

係を指摘できる。

感染者の多いアメリカ、ブラジル、インド、ロシア、チリ、メキシコなどはジニ係数が高い傾向にある。とくに格差社会のアメリカは、前述のように皆保険でなく、医療費が高いので、貧困層は治療を受けにくい状況に置かれている。その結果、感染が広がり、犠牲者が多く出ていることが指摘できる。日本には皆保険制度があり、感染者数は比較的多いものの死亡者数が少ないのは、医療制度もその一因ではないかといわれている。

もちろん、社会制度にパーフェクトなものはありえない。ただし、現在では新自由主義が弊害をもたらしているといわざるをえない。政治は現実を見据え、矛盾をカバーしながらかじ取りをする必要がある。コロナは、体制を選ぶのは国民であるという民主主義の根幹がいかに大切かを教えてくれたといえよう。

8 ナショナリズムとポピュリズム

EUのポピュリズム

以上述べたグローバル資本主義や新自由主義は、制限なしの経済活動を欲し、無限の発展を願ったものである。しかし、現代はその潮流を止め、もう一度国家という枠内に回帰しようとする一連の動きがある。それは、EUが目指してきた超国家的政体とは逆のベクトルの関係にあるが、その構図を分析してみよう。

ＥＵは、グローバリズムの潮流に乗り、ヨーロッパにおいて27カ国の共同体を成立させた。これは第二次世界大戦の悲劇の反省から生まれ、ヨーロッパの経済的繁栄や平和を希求したものであった。「シェンゲン協定」によって域内の自由化を認め、非ＥＵ諸国までこれを広げている。また、ＥＵはソ連の崩壊を機に、東欧諸国をＥＵへ吸収し、その勢力を拡大していった。

これによって域内移動も容易になったが、とくにシリア内戦によって、ＥＵへ難民や移民が大量に押し寄せ、その受け入れをめぐって、ＥＵ内に軋みを生じさせた。その後、移民政策を推進してきたドイツのメルケル首相が、しだいに支持を失ってきた。あわせて世界でもっとも影響力のあるアメリカはトランプ大統領を選び、自国第一主義を標榜して内向きの政治をはじめた。世界の政治の潮目が変わり、ＥＵにもその影響が及んでいる。

その結果、ＥＵ内部で反ＥＵの動きが顕著になり、２０２０年１月にとうとうイギリスはＥＵから離脱し、独自の道を歩みはじめた。ドイツ国内でも「ドイツのための選択肢」という極右政党が存在感を示すようになってきた。直近の２０１９年10月28日のチューリンゲン州議会選挙で、同党は第二党に躍進した。フランスではポピュリスト政党「国民連合（旧国民戦線）」が台頭し、大統領選挙で善戦した。あわせて２０１９年５月26日の「欧州議会選挙」では、国民連合は第一党を維持した。

他のＥＵ諸国も同様な傾向を示し、オーストリアの自由党、イタリアのポピュリスト政党である同盟（Lega）、ポピュリスト政党ではないが、オランダの自由党やデンマークの国民党なども、反移民・反難民政策を要求している。これらは各国で個別に生じている政治傾向のようであるが、相互に関連した運動を展開している。

では、このような政治的潮流と今回のコロナ騒動は、どのような関係にあるのだろうか。政治的意図からではないが、感染症予防という目的のために、イタリア、フランス、ドイツの首相は軌を一にするかのように国境閉鎖に踏み切った。もちろん、これは有期の所作であったが、これらの動向はナショナリズムへのベクトルと重なるものである。いわば、コロナは反ＥＵの運動を加速させる方向性を生み出しているように思われる。

アメリカのポピュリズム

トランプ大統領が打ち出したスローガン「アメリカ・ファースト」に、ポピュリズムの原点が込められている。それはナショナリズムも含んでいるが、大統領の貿易政策、外交政策もスローガンを踏まえたものであった。この内向きの政策は、多数のアメリカ国民にとって大衆迎合的に生まれたものである。そのため国民は、それほど批判しないのかもしれないが、政治の原点からするとバランスを欠いているといわざるをえない。内向きの政策はアメリカのグローバルリーダーの立場を明け渡す契機になり、中国の台頭と表裏一体の関係にある。

本来、政党政治は綱領にしたがって政策を打ち出すものである。しかしトランプ政権の場合、大統領のキャラクターによってころころと政策が変わり、一貫性がないことに特徴をもつ。しかも、その方針はたえず国内でも国際的にも軋轢を起こす。本来の外交や内政は、いろいろな利害を調整して折り合いをつけることであるにもかかわらず、内向きのポピュリズムは絶えず摩擦を増幅してしまう。

ポピュリズムは、かつての東西冷戦構造の崩壊によって、イデオロギーに替わるものとして生まれてきたといえるが、コロナ対策とのかかわりでいえば、極めて相性の悪い関係にある。というのは、コロナのワクチンにせよ治療薬にせよ、本来は国際協力や連帯によって開発が進展するものである。それを自国に有利に推進したとしても、そして薬が実際に開発されて、外交の「武器」に使われるようになったとしても、その政策は国際社会に更なる摩擦を生むだけであるからだ。

さらに、ポピュリズムは敵と味方を分ける政策を打ち出すが、コロナは一様に感染を広げる特性をもつ。つまりコロナ対策では、それが国内であってもグローバルな視野に立たなければならない。アメリカにおけるコロナの蔓延は、本質的な問題を看過するポピュリズムによる、コロナ対策の不十分さをさらけ出していると解釈できる。

9　ヘイトスピーチの深層

社会的ストレスの発散

社会が強いストレスにさらされると、人間はこれを回避するために攻撃的な行動に走る傾向が強い。その際には、社会的弱者をスケープゴートに祭り上げようとする。コロナ禍においても、ロックダウンや外出禁止令が発令され、経済危機や社会不安が増大すると、世界各国でさまざまなヘイトスピーチが沸き起こっている。

　これを大別すると、二種類のベクトルに分類できる。外国人や移民など、外に向かって攻撃する方向と、同じ組織や共同体などで見つかった感染者に内向きの差別をする方向である。日本の場合、前者は近隣諸国の外国人に対して認められるが、後者の差別傾向の方が強い。場合によっては、自粛を守らない店舗にすら、結束を乱すものというレッテルを貼る。攻撃する側はいずれも大まじめで、自分は正義の側に立ち、勇気ある行動が社会に役立っているのだという思い込みがある。このボタンの掛け違いが、多くの悲劇を生む根源となる。

　その深層には、日本社会特有の「世間」や「空気を読む」という「同調圧力」があって、それが近隣社会の雰囲気を形成してきた。コロナ禍の世論もこうした社会構造から生まれたといえよう。個人的意見を主張しすぎると変人扱いされるが、ヘイトスピーチに対しては、被害者の立場に立つ想像力をもつ必要がある。

　2020年5月8日、こうした事態に危機感をもった国連のグテーレス事務総長は、世界で多発する外向きのヘイトスピーチに対して警告を発し、その後も続けて世界の危機的現状を訴えている。すなわちコロナ・パンデミックによって、外国人、移民・難民が発生源だとするヘイトスピーチが横行し、かれらを排除する動きがみられる。あわせて人権擁護者への攻撃、高齢者の排除など、憎悪が顕著に沸き起こっている現状に対して、危機感を顕わにした。特定の国家や事例を挙げなかったけれども、これらは実際に、インド、パキスタン、オーストラリア、イタリアなどでも発生している。事務総長は、その克服のためには分断主義でなく、多国間主義で連帯して対処しなければならないと強調した。当然の警告である。

日本でも、コロナ禍以前からくすぶっていた差別問題が顕在化し、各地で社会的弱者や外国人に対するヘイトスピーチが横行している。これは人間心理の暗部ともいえる行動原理である。とくに日本のコロナ禍においては、在日韓国人や中国人に対して、さまざまな嫌がらせやヘイトが直接・間接におこなわれた。たとえば、埼玉県で発生したコロナ支援制度やマスク配布をめぐって、外国人学校を対象から排除しようとする動きがあった。

もっともやっかいなものは、ナショナリズムにもとづく差別を背景とした誹謗中傷が、コロナ禍に乗じて増幅されることである。とくに日本においては、コロナが中国や韓国から流入したものとし、ナショナリズムの感情をあおって、感染源国との「断交」を求める傾向がある。しかし、そのような分断主義は、外国においては立場が逆転する。たとえば、ドイツのライプツイヒではサッカーの試合における日本人の排除、イスラエルでも同様に日本人に対する傷害事件などが発生している。

過去の歴史でも、ナショナリズムが暴走し、集団妄想にまで発展して極端な排斥運動が起きた。中世ヨーロッパにおけるペスト蔓延時に発生したユダヤ人差別の構図（87ページ参照）が、現代でも甦る可能性はないとはいえない。ドイツの一部の人びとは、ウイルスを一種の民衆の敵とみなし、暴徒化して虐殺にまでエスカレートしてしまったからだ。

ただし、ヨーロッパ中世において発生した集団の直接行動は、次第に少なくなり、最近はとくにSNSの普及によって、ネット社会で暴言が飛び交うというかたちに変化している。これは、外なる方向と内なる方向の両ベクトルに向けられるが、暴言に対する明確な罰則規制がないので、ヘイトスピーチのハードルが低くなり、一般化する傾向が強いといえる。

10　中国の台頭――一帯一路構想

中国とイタリア

ヨーロッパで中世後期に蔓延したペストは、シルクロードを経てアジアから伝染したものであった（71ページ参照）。よく知られているように、長安からローマをつないだ歴史的なシルクロードは、東西交流の交易ルートであっただけでなく、軍事用にも用いられた。中世後期のペストは、モンゴル軍がシルクロードを通ってヨーロッパへもたらした。このペストは、黒海沿岸を経由してイタリアのベネツィアやジェノバなどの港町から上陸し、最終的にはキリスト教の根幹や中世社会を揺さぶることになった。

現代のコロナの場合も、ヨーロッパでの蔓延は、奇しくもイタリアからはじまった。では、なぜイタリアなのであろうか。最初、中国人観光客が感染しているという2020年1月29日の報告によって、人びとはコロナに注目するようになった。春節を利用した観光客であったと推定される。しかしそれ以前に、コロナがイタリア北部に蔓延していた説もあり、人びとはそれを通常のインフルエンザか肺炎と見間違えていたことも考えられる。したがって、突発的にイタリアに蔓延したのではなく、前段階があったといえる。

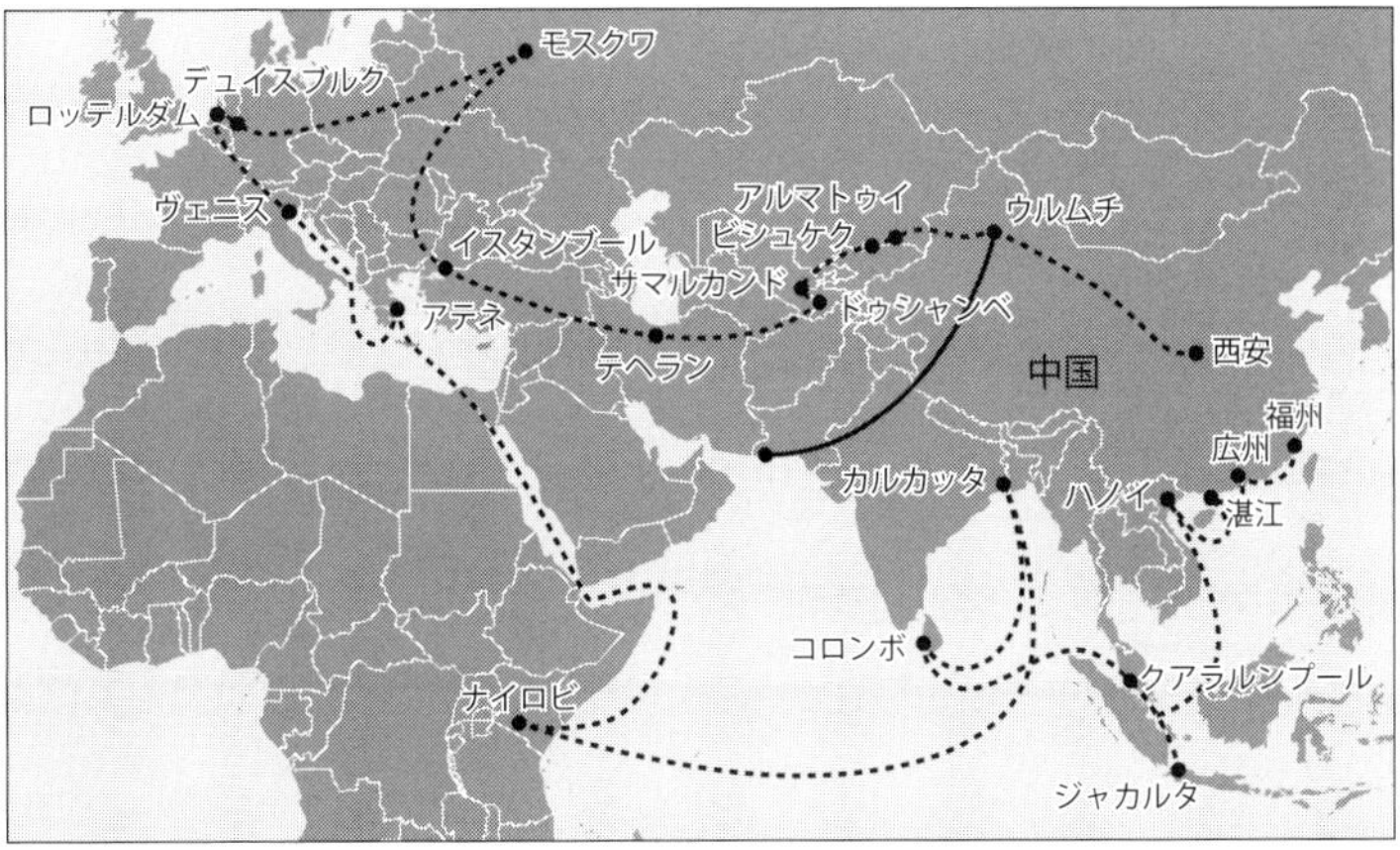

図１－11　一帯一路構想

その直接のきっかけは、イタリアが中国の主唱する一帯一路構想に乗ったことにある。中国は、図１－11のような現代版シルクロードともいうべきプロジェクトを提唱し、港湾設備拡充などのため、基金から各国へ融資をおこなうようになった。財政難に苦しむイタリアは中国との交流を深め、２０１９年3月、G7諸国のなかでは最初に中国と提携した。同年5月には中国から北部イタリアへ労働者が流入しはじめ、その数は約40万人にもなった。

それはきっかけにすぎず、中国の改革開放政策の一環として、すでに１９９０年代から、多くの中国人移民がイタリア北部に存在していた。かれらは、とくにロンバルディア地方のコメ作り、北部ペルガモの皮革産業、アパレル産業などに従事していた。その背景があって、一帯一路構想が中国との交流を加速化したといえよう。

中国とアメリカ

アメリカは、中国でのコロナの蔓延状況にかんがみ、2020年の1月に中国を渡航最警戒国にしていた。しかし、ヨーロッパに対してはその当時、あまり警戒をしていなかった。アメリカのコロナ対策としては、イタリアを経由したヨーロッパ諸国からのルートは抜け穴であったといわざるをえない。

結果的に、ヨーロッパではイタリアやスペインが、コロナ患者数の増大によって病院の許容量を超え、深刻な医療崩壊に直面した。たしかに、イタリアは皆保険制度で医療技術レベルが高いが、財政赤字のために、過去5年間に760の医療機関が閉鎖され、医師5万6000人、看護師5万人の不足を招いた（フランス「レゼコー」紙）。

イタリアがたちまち中国を抜いて感染者数、死亡者数などにおいてヨーロッパで一時期トップになったのも、その背景があったからである。その後、2020年6月以降、イタリアに代わってアメリカが重篤者や死亡者のトップを占めるようになった。

現在も、コロナに関する話題は、初期に注目された中国とアメリカが中心になっている。コロナは、GDP第1位と第2位を争う両国において、世界の覇権をめぐる現代政治と深くかかわっているからだ。EU諸国のなかには、イタリアの中国寄りの路線を危惧する者もおり、今後のヨーロッパ各国と中国の距離が注目される。イギリスはEUから離脱したとはいえ、香港問題によって反中国に転じている。

他方で、アメリカと中国は、これまで貿易問題で対立していたが、コロナ禍以降、ますますその敵対の度合いを深めている。直接的には、両国の確執は、ＷＨＯ（世界保健機関）をめぐる、テドロス事務局長の中国寄りの路線に反発したトランプ大統領のＷＨＯ脱退宣言に端的にあらわれている。アメリカが中国の台頭を抑え込もうとしていることは周知の事実である。

11　独裁と民主主義のパラドックス

強権政治

コロナ禍の現代、世界の政治は強権性を増幅し、中国やロシアなどは独裁的な傾向を強く帯びている。大統領権限の強いアメリカでも、政治権力と軍事力が結びつき、21世紀においても、それを背景にした外交や内政がおこなわれている。コロナが蔓延しはじめると、２０２０年３月14日に、アメリカのトランプ大統領は国家非常事態宣言をおこなった。これによってコロナを封じ込めるために、私権が制約されることになった。

さらに同年３月18日には、トランプ大統領は強権的な「国防生産法」を発動した。これは、人工呼吸器や病院船の調達を容易にし、コロナ対策をトップダウンで実施するためのものである。アメリカ人が好む強いリーダーをアピールするこの方式を評価する者は多い。しかし、この法律は本来、朝鮮戦争時の戦時体制下で制定されたもので、コロナを戦争と同列にして、さらなる拡大解釈を生み出す危険性をもっている。

同様に、中国やシンガポール、フィリピンなどは、強権的な独裁国家ともいえ、トップダウン方式ですばやくウイルス対策をおこなってきた。これは非常事態においては、おおむね効果を発揮しているのは事実である。雑誌「中央公論」（2020年4月号）でも、中国の対応が紹介された。これらの成功体験は、民主主義より強権的独裁が有利だという評価を定着させてしまうかもしれない。強権政治は緊急時や疫病、災害時にはもっとも効果的な方法であるとする見方がある。私権や人権を無視した封じ込め作戦は、民主主義国家で議論するより、はるかに即効的で強力な作用を発揮するからだ。

日本政府も、ウイルスをめぐる「新型インフルエンザ等対策特別措置法」（特別措置法）を提示し、2013年に制定された旧法の改正に与野党の合意を求め、2020年3月13日に国会で成立させた。野党の立憲民主党は、この緊急時に反対すれば批判を受けるので、やむなく矛をおさめた。しかし、改正をめぐって、その根幹である緊急事態宣言の発令が注目されている。この宣言は要件が曖昧で、解釈の仕方によって基本的人権や私権の制限を含むものであるだけに、重要な問題を内包している。

近年の歴史においても、危機に瀕した時には超法規的な緊急法が施行されたり、戒厳令が布告されたりしてきた。危機的状況という大義名分があれば、公共の福利をスローガンにして私権が制限され、その隠れ蓑によって強権的な政治がおこなわれてきた。場合によっては、独裁政治がまかり通って、最後には悲惨な結果を招いた例もある。極端な事例としては、ナチスが成立させた「全権委任法」（1933）がある。「国会議事堂炎上事件」を口実に、ヒトラーが独裁の道を切り開いた「歴史的な法律」である。

こう書けば、かならず「全権委任法」と、日本の新「特別措置法」とそれにもとづく「緊急事態宣言」は、まったく次元もコンテクストも違い、比較する方がおかしいと批判されるであろう。しかし、その構造は類似しており、施行においては公共の福利という名目で、私権の制限や集会の自由、人権を侵害する危険性がある。

同じ構図は、監視カメラとプライバシー、SNSのコントロールと言論の自由といった人権の抑圧のかたちでもみられる。とくに中国においては、コロナを封じ込めるという大義名分が監視社会を正当化している。個人の位置情報だけでなく、体温などのデータまで情報を把握して、それを使ってウイルスを撲滅しようというのである。問題は、独裁体制の場合、目的がすぐに反体制運動の抑圧などに転用され、監視国家ができあがることである。

麻薬としての「力の論理」

歴代の大統領と異なり、アメリカのトランプ大統領は、感染症に対しても多国間協調路線ではなく自国中心主義に転換した。国内の景気を重視した大統領は、2020年3月中旬ごろまでは、コロナは一過性の感染症で暖かくなれば消滅すると楽観視していた。その後、検査キットや医療器具の不足をきたし、医療崩壊を招いた。コロナを軽視して対応が遅れたために、アメリカは世界一の感染者数と死亡者数を記録した。それはアメリカの威信を損ね、国民に大きな傷を負わせるものであった。

もちろん、全世界に蔓延した感染症が自然発生的であれば、発生元の法的・道義的責任を問うことはほとんど不可能である。しかも、その発祥の地が中国であったという事実は、覇権争いをしている相手国だけに、アメリカ政府や国民の心理的側面でも深い溝をつくった。

アメリカがコロナの件で威信を取り戻し、世界の覇者として君臨する道は、一刻も早くワクチンや治療薬を開発し、世界に提供することにある。特効薬の発見者は文字通りアメリカン・ヒーローになれる。アメリカ人の好きなサクセス・ストーリーである。そのために、アメリカ人科学者は必死になって研究を続けているはずである。しかし、本当に必要なものはそうした「大きな物語」（175ページ参照）ではなく、誠実な研究者のヒューマニズムであり、自国第一ではなく、世界との連帯という視点ではなかろうか。

とはいえ、権力をもつ者は高圧的に、力を誇示したがるものである。トランプ大統領は、強いアメリカ、繁栄するアメリカの再生がお好きなようである。それは麻薬に似て、権力者を虜にする。しかし、権力志向や「力の論理」では、感染症に打ち勝つこともできないし、自然災害や地球規模の災害の危機を克服することもできない。アメリカが今後、どういう政治路線をたどるかわからないが、方向転換をしないとアメリカの時代は終焉するであろう。

他方、中国は、個人を徹底して強権的にＡＩ（人工知能）で監視することによって、コロナを収束させたと宣言している。内向きの監視国家となっても、民衆は経済が安定すれば沈黙するが、中国経済の先行きはまだ不透明である。中国はメンツにかけて、世界に謝罪することはないが、対外的に、とくにアフリカ諸国へ医者などの人的資源を送り込み、医療器具やマスクなどを提供する取り組みをおこなっている。これはポスト・コロナへの世界戦略の一環である。

中国は、人類の共通の敵を撲滅したのは中国であるという論理で、ダメージを受けたアメリカに代わって世界のイニシアティブをとろうとしている。その根底には、中国の伝統ともいうべき中華思想がある。それと密接にかかわる覇権という大国のエゴが、常に頭をもたげてくる。権力者にとってこれは魅力的なものであるが、超大国の「力の論理」や軍事力を背景とした外交に振り回されてきた歴史から、多くの国々はそこから脱却したいと願っている。にもかかわらず、支援物資の魅力には勝てない。

新型コロナの攻撃は、「力の論理」がいかに脆いものであるか、そして人類の膨張発展が無限に続くものでもないことを示してくれた。「力の論理」は、現代文明と置き換えることができる。かつての文明が栄枯盛衰を繰り返してきたように、現代文明も永遠ではない。具体的には第3章で考察するが、近未来の文明はアメリカや中国が担うとは言い切れないのである。

政治のパラドックス

コロナは、統治システムの在り方とも深くかかわる、強権や独裁政治の危険性をわれわれに提示してくれた。さらに、有事には個人より社会的安全が優先されるという、独裁体制の成功体験も例示した。これらは、緊急時における国家のリーダーの政治スタンスにも大きな影響を与えるものであった。

独裁政治は、民主主義のルールにしたがい国会で議論をする方法と対極の位置にある。民主主義的な議論は延々と続き、すぐさま結論を導き出せないこともある。危機に瀕した時、強権的な独裁政治の方がはるかに効率よく、決断することができる。そのため民主主義の議論より、強権政治を待望する雰囲気が醸成される。コロナは独裁と民主主義というパラドックスをわれわれに見せつけた。

このパラドックスの論理によって、政治が大きな転機を迎える可能性がある。民主的な選挙で選ばれたリーダーですら民衆の支持を得るために、かれらは決断力のある強いリーダーシップを発揮し、民衆にアピールしたいと考える。すなわち「緊急事態宣言」や「特別措置法」は、一種の「錦の御旗」のような効果を発揮するからである。緊急時には私権を排除したとしても、公共の福利にかなう病院の開設、交通規制、医薬品や食品の統制、渡航制限などにだれも反対できない。その際、本当に必要な政策なのか、権力基盤を強化する政策なのか、冷静に判断しなければならない。

このように、為政者の資質によって運用に差が出る監視体制や緊急法は、発令の時にコントロールする仕組みが必要である。それが民主主義のもっとも重要な根幹である。独裁的な暴走を食い止める議会制民主主義が生み出した制度は、とても大切な財産である。日本の場合、「特別措置法」は国会に事前報告をする付帯条件が設けられたが、あわせて時限措置という歯止めに対しても、常に監視の目を緩めてはならない。過去の独裁者は、非常事態を口実にして「新法」を制定し、恣意的に時限立法から永続的に支配権力を掌握してきたからである。

12　軍事力の無力化――あぶり出される基地問題

軍艦内で発生したコロナ

船舶がコロナに弱いということは、すでにダイヤモンド・プリンセス号で実証済みであった。この目立つ大型クルーズ船は、3700人という多人数を抱えていたので、ニュースバリューがあり、全世界が報道した。船中に留め置かれた乗客がいくら衛生に配慮しても、感染力の強いウイルスの場合、クルーの徹底した消毒や相部屋の解消がなければ、撲滅は困難である。最善の方法は陸上における隔離施設への移送であったが、その確保ができていなかったので、困難な対応を迫られ、結果的に感染者723人、死者13人を出した。

現在、最強の軍事的艦船といえば巨大な空母である。2020年4月1日に、アメリカ軍の空母「セオドア・ルーズベルト」が乗組員の新型コロナ感染によって、立ち往生しているニュースが伝わった（AFP時事）。同年3月24日にフィリピン沖で航行中、3名の新型コロナ感染者が見つかり、瞬く間にそれが約100名の乗組員に広がったので、グ

図1－12　空母「セオドア・ルーズベルト」

アム島の基地に寄港して、艦長が救済を求めてきたという。4月6日には感染者173名、4月13日には585名、死者1人と拡大した。

これはアメリカの新型コロナ関連のニュースとしては、きわめて象徴的な出来事である。かつて第一次世界大戦末期に、アメリカをはじめ戦時下のヨーロッパは、スペイン風邪の蔓延で、大きな被害を被った(137ページ参照)。感染症が軍隊をも襲った歴史がすでに存在し、勝敗を左右したのである。空母「セオドア・ルーズベルト」の感染者数は軍事機密として伏せられたが、空母の艦長ブレット・クロージャー大佐は、その後解任された。

もちろん、軍事機密漏洩の責任を問われたのであるが、艦長にしてみれば、刻々悪化する事態を受け止めて、的確に対処しなかった上層部に対する反感が根底にあったのだろう。退任の際に挨拶をした艦長は拍手で乗組員に見送られた。軍のモドリー長官が軍事機密を漏らしたと前艦長を批判すると、前艦長を擁護する意見が沸き起こり、長官自身も辞任に追い込まれた。

派遣されていた空母は、排水量約10万4600トン、原子炉2基、蒸気タービン4基を備え、乗組員約4000名(航空員は約2500名)を擁している。これはアメリカの世界戦力のうち、太平洋の軍事パワーの中核を担うものである。かつての大艦巨砲時代から、空母による航空戦略に転換されているとはいえ、核兵器以外のパワーポリティクスのシンボル的な艦船である。アメリカの外交交渉や世界戦略と密接な関係のある軍事力に他ならない。同様に、横須賀基地の空母「ドナルド・レーガン」(定期修理中)でも、2名の感染者が出ている。

いうまでもなくこれらの空母は、中国やロシア、北朝鮮の軍事力に対抗する意味において、グアムの基地や横須賀に配備されていた。それが実戦でもなく、敵に攻撃されたのでもなく、目に見えないコロナに襲撃されるというシナリオは、アメリカ軍の参謀も想定外のことであった。しかも、船内の換気が不十分な細分化された密室構造が、すでにダイヤモンド・プリンセス号の事例が示したように、コロナの攻撃に極度に弱いことをさらけ出したことは実証済みである。クルーズ船の場合、区切られた船室であるが、空母の場合、共用スペースがあまりにも多い。さらにコロナの潜伏期を2週間と計算すれば、その間は作戦に従事することの困難な空白期間となる。

今回の感染騒ぎで、世界のパワーバランスに急に大きな変化が顕われることはないが、軍事力の意味を再検討せざるをえないことになろう。というのはアメリカ国内においても、軍事力の保有がコロナの攻撃に対して無力であったことが露呈したからである。国内において、海外へ兵力を派遣することに対する疑念が再燃する恐れがある。

基地内で発生したコロナ

軍艦内のコロナ感染は、単にアメリカだけの問題ではない。アメリカの軍事力の傘に入っている日本や韓国にとっての防衛や基地問題にも波及し、ロシアや中国にとっても軍事パワーをどう位置づけるのかという問題に繋がっていく。その意味において感染症は、近未来に対する軍備と平和に関して大きな課題を突き付けているといえよう。深刻に受け取るならば、日本にとっては、先送りしてきた防衛問題が問われることにもなる。

２０２０年7月7日に、沖縄県のアメリカ軍の普天間基地において、コロナの感染者が発生した。その公表をめぐって、アメリカ国防総省と沖縄県の間で確執があった。すなわち、アメリカ側は情報を公表しないとしていたが、県知事の抗議に対して、「公表を妨げない」と態度を変えた。その結果、7月11日には海兵隊関係者に61人の感染者がいることがわかり、さらに感染者は増加し続け、8月12日現在で、合計３２０人になった。

基地内で感染者の収容ができないので、近隣のホテルを借り、隔離をおこなっているが、コロナの基地周辺への広がりが懸念されている。これまでアメリカ軍関係者が沖縄経由で来日した場合、ＰＣＲ検査をせず、日本は検疫に関与できなかったが、7月24日以降、ＰＣＲ検査が義務づけられるようになった。今後、問題が生ずれば「日米合同委員会」で対応するという。

アメリカのトランプ大統領やフランスのマクロン大統領は、コロナとの戦いは「戦争」だと明言している。しかし戦争＝悪に打ち勝つためにはあらゆることが許されるという論理は、将来、有事の場合、危険な種を残しかねない。アメリカ軍基地を抱えている日本においても、地位協定だけでなく、私権の制限もやむをえないという論理がまかり通る可能性がないともいえないのである。

第2章　感染症と世界史

1　異界が口を開けるとき

日常と非日常の世界

感染症は、平穏なありふれた日常生活から、突然、人びとを非日常の異界へ連れ出した。現在のコロナという感染症が、世界中で人と人とを引き裂き、引きこもり現象という異次元の世界をつくり出している。これから先、日常性と異界が逆転した世界がいつまで続くのか、日常世界は回帰してくるのだろうか。さらにポスト・コロナの時代はどのように変化するのか、人びとの関心はこれらの点に集約されている。

これまで、通常の日常生活から非日常世界への転換は、祭りというかたちで設定されてきた。祭りは、どんちゃん騒ぎやオルギア（陶酔的な儀礼）によって日常世界の憂さを発散させ、それを経て社会を再生させるための先人の知恵である。コロナ禍は、このルーティン化された非日常と異なり、突発的に人類に襲いかかってきたものであって、ましてや祭りとはまったく異質なもののように見える。ところが、祭りの基本構造を分析すれば、奇妙な類似性が浮かび上がってくるのである。

祭りでは、日常世界＝ミクロコスモス（小宇宙）と、非日常世界＝マクロコスモス（大宇宙、異界）というふたつの世界の境界線が消え、両方の行き来が可能となる。これが祭りのコスモロジーの特徴である。多くの場合、異界から妖怪（ハロウィーンのお化け）や超人（サンタクロース）、来訪神、先祖霊などがミクロコスモスへ現れるとされた。

歴史的に、感染症がもたらした異界は、神々や先祖霊ではなく、妖怪、悪魔、デーモン、死神など、世界各地で怖がられていたネガティヴなものがつくり出した世界である。各地に、異界伝説、妖怪伝説があり、人びとは独自のイメージでそれを形象化してきた。現代のコロナ禍は、その世界を彷彿とさせる。

祭りは古来、日常世界に蔓延したデーモン、悪霊や罪、苦悩、病気を引き寄せ、異界へ連れ戻してくれることを願って設定されていた（図2−1）。かつて祭りの時空は、神々への祈りを通じてこの世の浄化を願う場であって、仮面はそれを視覚化する装置であった。多くの場合、本来の祭りは異界を暗示する夜におこなわれてきた。祭りが終わると、異界は日常世界へ回帰していった。

現代では、そのような民俗学的な祭りの機能は、非科学的思考としてほとんど無視されている。祭りは、単なる娯楽の一種としか考えられていないからである。ただ、コロナを単純化して、ウイルスが引き起こしている病気にすぎないと考えると、その全貌はまったく把握できない。それは巧妙に人間社会へ侵入し、政治、経済のみならず現代文明の根幹を揺るがす元凶であるからだ。

図2－1　左上：ファスナハトの妖怪
右上：死神
左下：クランプス（筆者撮影）

目に見えぬ妖怪との闘い

祭りと違って、ウイルスは目に見えない妖怪として、現代社会に対する制裁を与える役割を担って異界から登場し、猛威を振るっていると解釈できる。しかも、先人が考え出した妖怪や悪霊より怖いのは、具体的な姿が見えないだけに、どこに潜んでいるかわからないことである。親しい身内がウイルスに変身しているかもしれない。みずからが感染源になる可能性も否定できない。そう考えると、人混みのなかを歩くだけでもストレスが溜まってくる。

日常生活において、これまでレストランや居酒屋での飲食は当然のことであった。コンサート、スポーツ観戦、ライブ、観劇などで人との接触感染を意識したことはなかった。満員電車すら、苦痛ではあったが、我慢さえすればよかった。旅行も国内だけでなく、外国であっても気楽に計画を立てることができた。これらが制限され、現代人は重苦しい雰囲気とストレスを感じながら、ひたすら感染症の収束を願って日々を耐えている。

感染症によってつくり出された異界は、日本では福島原発事故の放射能汚染と奇妙なアナロジーをもつ。事故後、発電所の日常は突然、非日常の汚染地域に変貌した。コロナの除菌より、放射能の除染の方がはるかに困難であるが、それでも放射能を防護服で身を守りながら汚染現場で作業をする姿は、目に見えないコロナに立ち向かう防護服の医療関係者の光景と重なってしまう。

非常に逆説的にいえば、グローバル資本主義や新自由主義が生み出した現代社会の矛盾が、原発事故やコロナ禍を招いたとも解釈できる。かつて、人間は日々の経済活動をおこないながら、季節のうつろいを眺め、小さな感動を見つけて、安らぎを覚えたり、家族のなかでの日常の平凡な暮らしに満足したりしていた。原発事故やコロナ禍は未曽有の異界をつくり出したが、これらはかつての人間の原点であった日常世界を意識させる契機になったのではなかろうか。こう書けば反論する人も出ようが、異界と日常世界を意識することが、ポスト・コロナの時代の出発点でもある。

コロナ禍以後の時代には、非日常が常態化し、目に見えぬ妖怪は消えたと思っても、世界のどこかで変異しながら徘徊し続ける。それがグローバル時代のコロナの特性である。現在、われわれが近未来の社会を展望するためにできることは、過去の感染症の歴史を確認することではなかろうか。

以上の視点から本章では、過去において感染症に襲われた人びとが、非日常世界のなかで具体的にどのように行動したのか、それが世界をどう変えたかを見てみることにしよう。取り上げるのはペスト、天然痘、梅毒、スペイン風邪であるが、このような感染症が歴史を大きく変えてきた実例を確認しておきたいと思う。

2　ヨーロッパに侵入したペスト

中世の感染の経由と蔓延

ペストは、ヨーロッパで中世以来、6、11、13、14、15世紀と波状的に蔓延した。その理由は、ヨーロッパ人の活動範囲が広がり、とくに十字軍の遠征以降、中近東諸国と接触する機会が増えたことと、モンゴル帝国の拡大によって、シルクロードを介した大陸との交流が盛んになったことが挙げられる。こうして、かつては風土病のような地域感染症の一種であったペストが、グローバル化してヨーロッパへ侵入してきた。

厳密にいうと、中世後期のヨーロッパのペストは、1259年にイタリアで蔓延し、まもなく収束する。その約90年後に、ヨーロッパは再び大きなペスト禍に見舞われる。発端は1347年の春、中央アジアからモンゴル軍を介して黒海のカッファで蔓延したペストであった。当時、モンゴル系のジャニベク・ハンがカッファを包囲したときに、タタール人の多数がペストに罹ったので、モンゴル軍はその死体を投石機によって市中へ投げ込んで退却した。

まもなく、ペストはカッファの町中に被害をもたらしただけでなく、交易相手のイタリア商人によって、クリミア半島からシチリア島のメッシーナの港町にもち込まれた。それから病原菌はナポリ、ベネツィア、マルセイユ、バルセロナといった港町を経由し、ヨーロッパ内陸部の各都市へ侵入した。すでにペストが伝染性の感染症であることはわかっていたので、イタリアの貿易港は検疫をおこなったが、不十分なためにほとんど防疫の効果がなかった。

ペストは、瞬く間にイタリアからフランス、スペイン、ボヘミア、バイエルン、北部ドイツ、ネーデルラント、イングランド、デンマークなどへ伝染した。やがて、全ヨーロッパを覆い尽くすようになった。ただし、蔓延は一様でなく濃淡がみられ、現在のポーランド地域は難を逃れた。図2－2に示したとおり、1348～1351年にかけて来襲したペストが、ヨーロッ

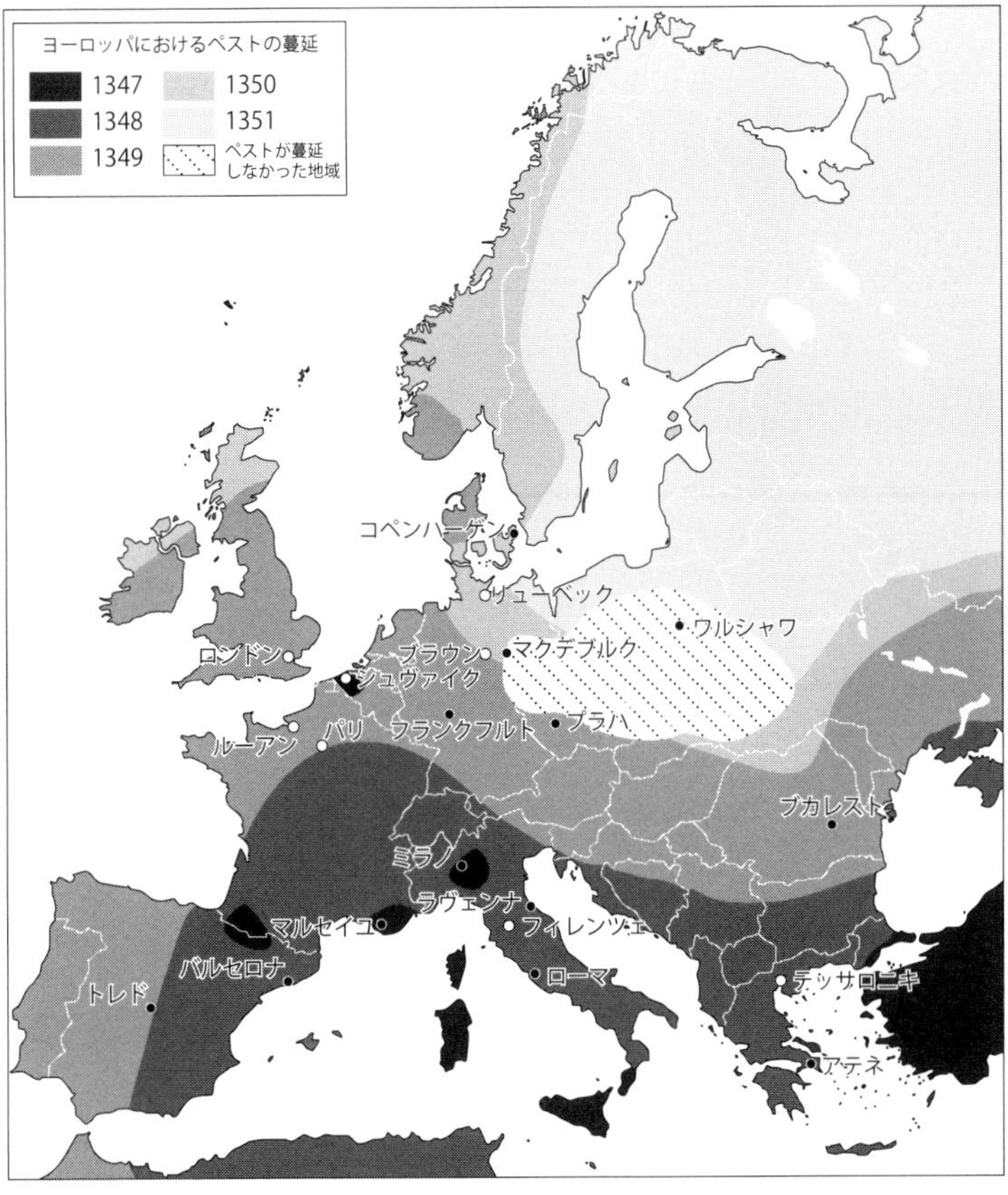

図２－２　1348～1351年のペストの蔓延

パ史上最大規模のものとなった。

さらに、ペストは1360～1361年、1373年、1400年、1482年と波状的にヨーロッパの主要地域を襲い、少なく見積もっても人口の3分の1がその犠牲になったといわれている。第二次世界大戦のヨーロッパにおける戦没者が人口の5%であったことと比較しても、その惨禍のすさまじさがおのずから理解できよう。

ヨーロッパの惨状

当時は、病気に対する有効な手立てもなく、介護する人がいなくなると病人は放置され、いたるところで死にゆく人びとの数だけが増え続けた。大量の死者の山を前にして、埋葬する墓地も葬る場所にも事欠く有様であった。人びとは強い衝撃を受けてパニック状態に陥り、ただ恐れおののくばかりだった。それは社会のすべての体制を根幹から揺さぶり、混乱とカオスを引き起こした。金持ちや貧乏人、身分の貴賤、老若男女も分け隔てなく、ペストはあらゆる人間を襲ったのである。もちろん、その際に人びとが救いを求めたのはキリスト教であった。誰しもこれを神の怒りと罰だと受け止め、人びとは「ヨハネの黙示禄」に示された、この世の終末を強く自覚したのである。

キリスト教徒は、みずからの罪業を思い知り、神に祈り、深く懺悔した。十字架にかけられたキリストを想い、聖母マリア、守護聖人に祈って、神にとりなしてもらうことを願った。みずからは贖罪、清貧の生活、断食を試みた。ある人は祈禱師や民間療法にすがり、また他の人

図2－3　瘤のある腺ペストの病人と祈禱師（1411）

はローマ、サンチャゴ・デ・コンポステーラ、エルサレムなどへの聖地巡礼の旅に出た。

もちろん、都市部にはペスト医がいて、治療にあたったが、医者がもっとも危険な立場に置かれた。ペストの感染は「大気の腐敗」（ミアズマ）によるものだとされ、ペスト医は嘴《くちばし》形のマスクを付けて防護したが、その多くがペストに感染し、深刻な医者不足にみまわれた。医者自身も危険に気づき、治療を放棄して逃亡する者が続出した。困り果てた民衆は当局に医者を要求し、これが暴動にまで発展した。

3　鞭打ち苦行者の群れ

鞭打ち苦行の前史

このように猛威を奮ったペストに対して、人びとが思い立ったのが鞭打ち苦行という自虐的な方法であった。キリストの受難をわが身に与えて、神による救済を願ったのである。それはペストからの救済だけでなく、死後、地獄へ落ちないように、そして恐ろしい責め苦から逃れるための自己救済でもあった。とはいえ、これはペスト禍の際に突然発生したのではなく、その前史がある。

鞭打ちは、古代から祭祀や懲罰に使用されてきた。中世では、修道院などで修業や教育の一環として導入されていたが、一般に苦行として広まったのは、中世末期のペスト大襲来以前の、前述した1259年ごろである。その前年から襲ってきた異常気象による飢饉も、ペストと相まって引き金になったとされる。当時、イタリアのペルージャでペストが広がり、1260年にはこのような社会不安から、各種信心会のなかに「鞭打ち苦行信心会」が次々と設立された。以下、オットー・フォン・コルフィンの『鞭打ち苦行者たち』や、ノーマン・コーンの『千年王国の追求』を参照しながら、その概略を紹介しよう。

中世の市民の間では、信心会あるいは兄弟団が広まったが、本来、これらは集団的な相互扶助や慈善を目的とした宗教的組織であった。各信心会（兄弟団）は、カトリックが叙した聖人を守護聖人として奉じ、それを人びとの日常生活における信仰の拠り所としていた。なかでも、聖母マリアを守護聖人とする信心会にもっとも人気が集まった。いうまでもなく、マリア信仰が12～13世紀に広がっていたからである。

鞭打ち苦行信心会も、数ある信心会のひとつであったが、これはペストの北上とともに、イタリアだけでなくアルプスを越えて、ドイツ、フランスやオーストリア、ハンガリーに拡大する兆しが見えた。そのなかで中心的な役割を果たしたのが、ドミニコ会士やフランチェスコ会士であった。もともとかれらは清貧、苦行、贖罪を実践していたので、鞭打ちもその修行の延長線上に位置づけられる。

これらの信仰集団の托鉢修道会は、積極的に鞭打ち苦行信心会を組織化していった。イタリアのリーダーはフランチェスコ会のラニエロ・ファサーニという修道士であった。かれは鞭打ち苦行でも主導的役割を果たした。その後、１２５９年のペストそのものがまもなく消滅すると、鞭打ち苦行信心会も下火になり、１２６３年には活動を停止してしまった。

再開された鞭打ち苦行

14世紀半ばのペストの蔓延とともに、鞭打ち苦行信心会が再び各地で復活し、イタリアで積極的な活動をはじめた。ここでも、カトリックのドミニコ会士の指導の下、統制のとれた純粋に宗教的な悔悟の集団がつくられた。日常的な死に直面した人びとは、鞭打ち苦行の贖罪をおこなう信心会に次々と加わっていった。最初は、かれらに施し物をする者も多かった。善行によって功徳にあずかろうとしたのである。鞭打ち苦行集団が雪だるま式に増えていくにつれ、組織内のルールが定められ、定期的に集団でプロセッション（練り歩き）の示威行為や鞭打ち儀礼がおこなわれるようになった。

ところが、運動がアルプスを越えてスイスやライン河畔へと広がるうちに、リーダーは聖職者ではなく世俗の平信徒に変化した。本来、カトリックでは平信徒は儀礼や説教をおこなってはならなかったはずだが、ペストという異常事態よって、不文律が無視されたのである。図2－4にあるように、赤い十字旗をもった者が主への祈りを掲げながら先導し、頭巾や帽子をかぶった信心会のグループが手に鞭をもち、同じような格好をして鐘を鳴らしながら行進していった。粗末な衣をまとい、鞭打ちの際には上半身を露わにした。その光景を見た人びとのなかからも、思い立って途中で加わる者が続出し、グループは200～300人程度になることが多く、最大で2000人に膨れ上がることがあった。

鞭打ち苦行の一行に、天使がキリストの手紙を授け、33日と半日の鞭打ちを指示したという伝説が生まれた。この数字は、キリストの33歳半という昇天した年齢を、日数に直したものである。この手紙の事例は、民衆十字軍や少年十字軍を結集する際に見られたものと同じパターンのものだった。天から降ってきた手紙を所有することが伝わると、リーダーはカリスマ化していった。

この集団は規律によって統制がとれていて、リーダーは各都市の参事会に鞭打ち苦行をするための許可を求めた。しかし、都市参事会のなかには混乱を嫌って拒否するところもあり、教会側も勝手に鞭打ち苦行をすることには不快感を示した。このように、宗教と世俗の双方がネガティヴな反応を示すと、ドイツの鞭打ち苦行団は教会の監督下に入らず、独自の行動をとるようになる。集団には最初は貴族や聖職者も加わっていたが、しだいに職人や下層の人びとが中心となっていった。そのため、１３４９年にローマ教皇クレメンス6世は、公開の鞭打ち苦行を禁止した。これはペストの爆発的な拡大期であったので、それでおさまりがつくほど、事態は容易ではなかった。

図２－４「コンスタンツ年代記」に記述された鞭打ち苦行団

ペストの蔓延は、神とローマ・カトリック、信者の関係にも大きな影響を与えた。中世には神を否定する人びとはいなかったが、ローマ・カトリックがペストの流行に対して無力であることがしだいに露呈してきた。ペストの蔓延時に、ローマ教皇は内紛のため、ローマのバチカンではなく、フランスのアヴィニヨンに移住しており(1309～1377)、とりわけ権威が弱体化し、統制がとりにくい状態であった。

ペストの被害が深刻になればなるほ

ど、人びとは、もはやローマ教皇やドミニコ会、教会の権威を信じなくなった。そればかりか、反教会的な行動に走るようになり、ローマ・カトリックという媒介を超えた、自己と神という直接の関係が強く意識されるようになった。こうして鞭打ち苦行の目的は、カトリックのコントロールから、それを無視した自己救済の個人的な方向に変貌していくのである。

苦行の凄惨な現場

シェンクの『迷信、不安、テロ』には、1349年の夏、シュトラースブルクに2000名の鞭打ち苦行団が到着し、苦行をおこなっている様子が描かれている。

苦行者といわれていたかれらが、懺悔をしようとするとき、少なくともそれは1日に2回、早朝と夕方であったが、広場へ出かけていった、……人びとは鞭打ち苦行の場へやってくると、素足になりズボンまで脱いで、白衣に着替える。懺悔をはじめようとする場合には、大きな輪をつくって横たわる。各人の罪によって寝る仕草が違うが、たとえば偽誓者は、横向きに寝て、頭の上へ指を3本差し出す。不倫をした者は腹ばいになる。このように各人の罪に応じたやり方で横たわるので、それぞれがどんな罪を犯したのかが、すぐわかるようになっていた。

こうして、かれらが横たわると、リーダーの出番である。かれが鞭で苦行者の体を打ち、「純粋の苦行の栄誉によって起き上がれ。汝のいくたの罪から汝を守りたまえ」と唱える。

リーダーは全員を回り終えると、先頭の者が立ち上がり、リーダーがやったように、言葉を唱え、鞭でそれぞれを打ちながら、自分の前に横たわっている者を回る。2番目、3番目、4番目、5番目も同様に回りながら、輪のみんなが立ち上がるまで、リーダーがやったようにする。1番歌のうまい何人かが立って歌をうたいはじめる。みんながそれについてうたいながらダンスをする。そのあいだに、仲間は2人ずつ回りながら、先に釘が付いた結び目のある鞭で、相手の背中を鞭打ったので、多くの者が血まみれになった。

かれらはこのように血を吹き出しながら、神に敬虔な祈りを捧げて贖罪をした。先導者との唱和は陶酔作用も引き起こした。苦行者はたえず粗食でかつ少しだけ食べ、金曜日には断食をするといった行をした。そして自分たちが選ばれた者であるということを自認しながら、千年王国の預言を信じた。これは強制された行為ではなく、しかも鞭を打つ方も打たれる方も、苦痛を越えて法悦状態に達していた。その加虐と自虐の交錯した光景を見た人びとは、大きなショックを受け、わが身の罪を自覚した。(筆者訳)

先述したように、ドイツやフランスでは、リーダーは聖職者ではなく、俗人であった。本来は、俗人が宗教儀礼を執りおこなうことはできなかった。したがって、鞭打ち苦行団は反カトリックの異端の傾向が強くなっていった。もっとも、これらの事例はドイツやフランスの特徴であって、イタリアでは、托鉢修道会の強い影響力によって、鞭打ち苦行団はローマ・カトリックの統制下にあった。

図２－５　ドイツの鞭打ち苦行（15 世紀の版画）

本来、信徒を救済すべきはずのローマ教皇は、何の手立てを打つこともできず、手をこまねくばかりで、みずからは人払いをして籠ってしまい、権威が失墜した。それは国王など世俗の権力に対しても、同様にいえることであった。鞭打ち苦行団の反体制的な異端の傾向は、それに対する民衆の苛立ちであり、怒りであった。いわばペストは、中世の宗教的・政治的体制の根幹を大きく揺り動かし、やがてそれは近代への宗教改革や革命運動へと繋がる萌芽でもあった。

集団化した鞭打ち苦行者の群れには、たえず群衆心理が作用した。これは実行者だけでなく、周囲を取り巻く群衆にも波及し、同調者を増やしていった。人びとがパニック状態に陥ったのは、アメリカの社会学者スメルサーのいう集団妄想のきっかけとしての強い社会的ストレイン（ひずみ）が根底にあったからである。

パニック状態はペストが荒れ狂っている時代

には続いたが、結局、鞭打ち苦行もほとんど効果がなく、次から次へと死人の山が築かれていった。やがて鞭打ち苦行が日常化すると、リーダー自身のカリスマ性が失われ、集団が瓦解しはじめ、規律が守られなくなった。統制を失うと、鞭打ち苦行団のなかには、絶望的になって暴徒化するグループが増えていった。一方では、民衆は鬱積した感情を爆発させ、ユダヤ人襲撃事件を引き起こしたり、他方では絶望的な虚無感に陥ったりした。ペストは当時の人びとを、自暴自棄の出口のない状態へ追いこんでいった。

また、民衆のなかには、どうせ死ぬのだからと開き直り、逆に刹那的な性の享楽にふける者もあらわれた。ペストの蔓延時に書かれたボッカッチョの『デカメロン』(1348～1353)のエロティックな文学も、ペストから目をそらす意図から生まれたものである。芸術面では、「死の舞踏」という新しいジャンルが生み出され、芸術潮流に大きな影響を与えることになる。

4 「死の舞踏」と集団ヒステリー

図像が語る時代精神

ペスト禍を経験した世相を映す合わせ鏡として、中世末期から「死の舞踏」という骸骨をモティーフにした図像が流行した。「死の舞踏」は幻想のなかの、生と死が逆転した世界を描いている。これほど強烈なインパクトのある絵は、ペストによる強烈な死のイメージ、あるいは鞭打ち苦行、舞踏病などが人びとの心のなかに残像として残っていなければ、創出できなかったであろう。ペストの蔓延した時代は、死が日常であり、生が非日常であった。現代から見れば、「死の舞踏」は集団妄想に駆られた世相を浮き彫りにしているが、当時としてはこれが現実の世界にほかならなかった。

15世紀ごろから、「死の舞踏」といわれる骸骨と人間がダンスをしている壁画が、パリのイノサン修道院の納骨堂回廊を発祥の地として、イタリア、ドイツ、スイスにあらわれた。フランスでは「ダンス・マカーブル」として知られ、北部イタリアのクルゾーネの教会には「死の舞踏」の壁画群があった。ドイツではエアフルト、リューベック、ドレスデンに、スイスではバーゼルに原画があったとされる。しかし、これらの都市の教会、あるいは修道院の原画は今やほとんど消滅し、写しや後世に描かれたものが大部分である。

「死の舞踏」の壁画の多くが、フランチェスコ会とドミニコ会の礼拝所や教会の回廊壁画であったことは興味深い。かれらは壁画の絵解きによって、托鉢修道会の死生観を示し、信者を教化しようとしたと考えられる。すなわち、骸骨のモティーフは死に対する警告であり、豪奢や財産、地位の無意味さ、生者への教訓や贖罪を意味していたのである。

ただし、壁画と違って、絵画では多くの作品が残り、生き生きとした当時の世相を伝えてくれる。たとえば、図2－6の絵は、アルブレヒト・デューラーの師であるミヒャエル・ヴォルゲムート（1434～1519）の「死の舞踏」である。かれは、骸骨がシャルマイ（ショーム）を吹くと死者でも起きだし、メロディーに合わせて楽しそうに踊りだす光景を描いている。

その動作や表情は骸骨らしくなく、まるで生者のように生き生きとしている。楽器は、死の

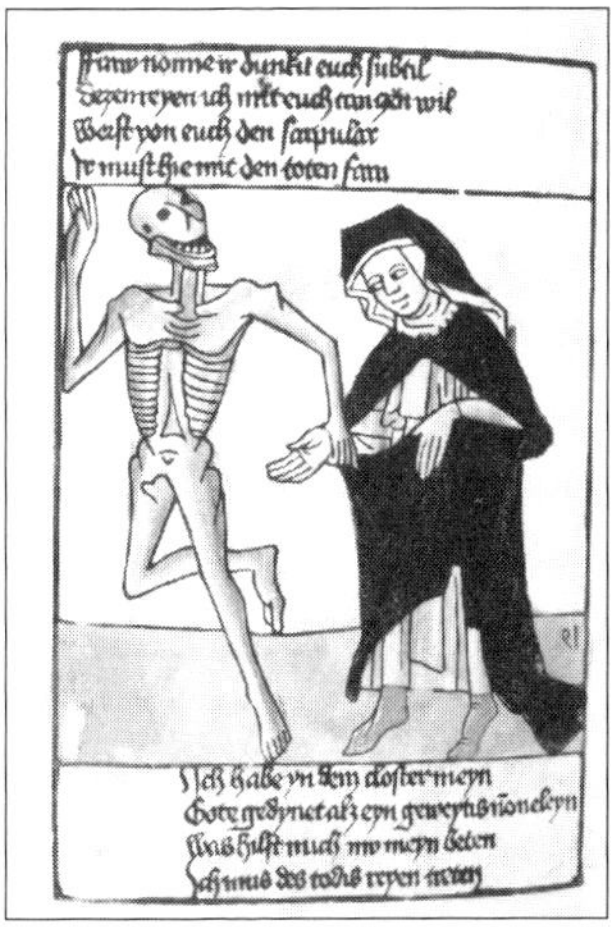

図２－６　「死の舞踏」
ミヒャエル・ヴォルゲムート
（1493）

図２－７　修道女を死の国へ連れて行く骸骨
（1455 ～ 58）

世界と一体化して魔力をもち、異界とつながっていることを示す。中世では楽士が悪魔とかかわる不気味な存在であったが、それを背景にして、死の舞踏は悪魔が主導する、生と死を逆転させた世界そのものを表したと解釈できる。

図2－7は、修道女（「神の花嫁」として修道院で修業する若い女性）も、死からは逃れることができない状況を示している。彼女は神の国から死の国に誘われ、戸惑いながらついていく。ここにも解釈の仕方によっては、アンチキリストの強いメッセージが込められており、一種のカリカチュア化された世界が描かれている。

図2－8は、ベルント・ノートケ（1435～1509）の「死の舞踏」である。ローマ教皇、皇帝、皇帝妃、高位聖職者、国王などの社会の頂点にいる人びとが、骸骨の誘いに対して困惑した様子で、それを拒否しようとしている。他方、死のシンボルの方は、ここでも楽器を奏でて踊りながら、表情豊かに描かれている。

図2－8　ノートケの「死の舞踏」

図像学（紋章学）的に見れば、左が優位で骸骨が主、右の人間が従となっているので、この図像は死と生が逆転した「逆さまの世界」を表している。カーニバルの際にも愚者が王に、乞食が大金持ちにという、「逆さまの世界」が演出されたが、ここでもその発想で「死の勝利」が謳われているのである。

　このような一連の「死の舞踏」の絵は、教皇、司祭、国王、貴族のいずれでも、あるいは農民、貧民、子どもであろうと、死は身分や貧富の差、老若男女を問わず、すべての者を平等に黄泉の国へ連れていくことを表す。とくに教会の権威や威光、王侯貴族の豪華な暮らしも、死を前にすればまったく無意味なものに過ぎないということが呈示される。これは強烈な社会風刺や中世の封建体制批判につながるものであった。

集団ヒステリーとユダヤ人虐殺

　鞭打ち苦行者たちの群れは、しだいに一種の集団ヒステリーと化していったが、ストレスが蓄積すると、かれらは別のスケープ・ゴートを見い出さなければ、おさまりがつかなかった。フランスでは13世紀初めに、アルビジョア十字軍が異端のカタリ派だけでなく、ユダヤ人に対しても虐殺をおこなったが、それはペストの蔓延時代にも繰り返された。

また、鞭打ち苦行集団は、ユダヤ人襲撃でも中心的役割を果たした。かれらはこの世の終末から千年王国を迎えるにあたって、異教のユダヤ人を悪魔の手先と考え、抹殺しようとしたのである。鞭打ち集団に煽られて、不安に駆られた都市市民や下層民衆もヒステリー化して合流した。

よく知られているように、ユダヤ人が都市市民の共通の水源である泉に毒を投げ入れたというデマが各地で流された。かれらはペストの原因をユダヤ人陰謀説に結びつけたのである。たしかに、聖俗の支配者が足並みをそろえて、ユダヤ人攻撃をしたわけではない。1348年7月に、ローマ教皇クレメンス6世は、ユダヤ人虐殺をすれば破門するという厳罰によってこれを禁止している。それはとりもなおさず、ユダヤ人虐殺が各地で起きて大問題になっていたことを物語る。

それにもかかわらず、ペストの最盛期の1348年9月から1349年以降にかけて、ユダヤ人は各地でスケープ・ゴートに仕立て上げられ、シナゴーグや財産を接収された。どさくさにまぎれて、聖俗の支配者の一部は、借金を棒引きにしようとしたり、資産を増やそうとしたりしたのである。これはフランス、スペイン、スイスでもみられたが、ドイツでの頻度がもっとも高かった。

根拠はまったくないが、一説にはユダヤ人はゲットーに隔離された状態で暮らしていたので、ペストの蔓延が他の市街地より少なかったという仮説がある。凶暴化した群衆がユダヤ人の住宅やシナゴーグを襲い、略奪や放火をした。ユダヤ人は逃亡したが、捕まり、虐殺される者が後を絶たなかった。逮捕されたユダヤ人は、拷問の末、誘導尋問によって自供させられたので、それを根拠に迫害がエスカレートした。

ドイツの事例

ドイツでも、大別すると二通りのユダヤ人対応があった。一方ではユダヤ人攻撃を主導したグループと、他方ではそれを防ごうとしたグループに分かれた。前者のなかには、鞭打ち苦行団以外に、キリスト教修道会の修道士たちが挙げられる。設立当初のドミニコ会、フランチェスコ会は反ユダヤ主義を標榜しなかったが、十字軍派遣以降、アルビジョア十字軍時代からしだいに反ユダヤ主義を先鋭化させ、やがてペスト蔓延の時代には、かれらもユダヤ人排斥の急先鋒になった。

他方、ドイツ中の統治者たちがすべて反ユダヤ的というわけではなかった。ドイツの大司教たちや良識ある諸侯は、鞭打ち苦行とユダヤ人襲撃を禁止した。アルザスのシュトラースブルク、フライブルク、レーゲンスブルクなどの市参事会はユダヤ人を保護していた。1349年にフランクフルト、アーヘン、ニュルンベルクなどでは、城門を閉めて鞭打ち苦行団の暴徒を排除しようとした。しかし、群衆のはげしい突き上げがあり、暴徒化した人びとはユダヤ人を

図２－９　拷問によって泉へ毒の投入を自白させられ、車輪の刑に処せられるユダヤ人（1475 木版画）

襲撃し、壊滅的な打撃を与えた。

ユダヤ人の犠牲者は、「マインツで6000人、シュトラースブルクで2000人」（ポール・ジョンソン『ユダヤ人の歴史』）、ニュルンベルクで600人、ヴォルムスで400人という数字が挙げられている。年代記は、これらの町でもこのように十字軍派遣時代と同様、シナゴーグを中心にした甚大なユダヤ人被害を記録している。

その後、世情が落ち着いてくると、領主たちは離散したユダヤ人に帰国を要請した。ユダヤ人の納める税金が魅力的であったからである（キリスト教徒の債務は棒引きという条件であった）。都市に住むユダヤ人の認可権をもつ領主は、帰還したユダヤ人に人頭税のかたちで税金をかけた。したがって、ペスト禍以降にドイツのユダヤ人は急速に減少し、少数の裕福なグループやフランクフルト、ヴォルムスなどの都市のゲットーにわずかに住む者を除いて、多くはポーランド、ウクライナ、バルト地域へ移住していった。

社会が平穏無事に推移しても、集団生活のなかでは、内発的あるいは外圧的な要因により、たえずいじめやいやがらせが発生するが、それは鬱積したフラストレーションの発散の一形態である。とくに異民族や群雄が割拠した大陸に位置するヨーロッパは、歴史上、侵略、数多くの戦争、社会不安、軋轢、天変地異、疫病、革命などを経験してきた。それは社会や共同体、個人に対して、強い精神的なストレスを与えるものであった。これがピークに達すると、些細なきっかけによってエネルギーが暴発し、パニックや集団ヒステリーが発生するのである。集団妄想の生成や暴走もこのようなメカニズムをもっているものが多い。

一般に群衆が行動を起こすときには、多様な様式や極端なパターンがある。フランスの社会心理学者ギュスターヴ・ル・ボンは、群衆心理を次のように分析している。

群衆に暗示を与えうる刺激は、多種多様であり、しかも、群衆は常にそれに従うのであるから、その気分は、極度に動揺しやすいのである。群衆は、一瞬のうちに残忍極まる凶暴さから、全く申し分のない英雄的行為や寛大さに走る。群衆は、容易に死刑執行人となるが、またそれに劣らず容易に殉難者ともなるのである。どんな信仰でも、その勝利のために要せられた血の河は、ほかならぬ群衆の胸から流れ出たのである。群衆がどんなことをなし得るかを見るために、遠く英雄時代にさかのぼるには及ばない。群衆は、一揆のようなものに際しても、断じて生命をおしまないし、ある将軍が、にわかに人望を得るや、その将軍のために一命を投げ出すのも辞さない幾十万の人間を容易に見いだすことのできたのも、つい近年のことである。（櫻井成夫訳）

このように群衆は、気分によって恣意的に行動する特色をもっているが、われわれが知りたいのは、具体的な状況において群衆がどのような行動パターンを採るかである。経験則から見て、予測可能な、ある一定の法則が見い出せるのではなかろうか。

5　ペストと『ハーメルンの笛吹き男』伝説

『笛吹き男』から『ネズミ捕り男』へ

有名な『ハーメルンの笛吹き男』伝説は、１３０人の子どもたちの大量失踪事件を伝えている。これは１２８４年６月26日にハーメルンで実際に起きた史実であるとされている。日本では『グリム伝説集』（1816）のなかに収録されている以下の話がよく知られているので、まずこの出来事を伝説集に依拠して、簡単に要約しておこう。

１２８４年６月、ハーメルンの町に色とりどりの模様の上着を着た奇妙な男がやってきた。その男は「ネズミ捕り」だと触れ込み、ある金額をもらえるなら、町のネズミを退治するといった。市民たちはネズミの害に悩んでいたので、かれの申し出に同意した。そこで「ネズミ捕り男」は笛を取り出し、町を歩きながらそれを吹いた。すると、町中のネズミが家から這い出し、かれの後についていった。笛の音につられたネズミは次々と集まり、大群となった。頃合いをみて笛吹き男はそのままヴェーザー川へ入っていったので、ネズミたちはすべて溺れ死んでしまった。ネズミの害から逃れると、市民たちはお金が惜しくなり、何とか口実を設けて支払いを拒否した。そのため、かれは怒って町を出ていった。

6月26日のヨハネとパウロの日に、ハーメルンの市民たちが「夏祭り」を祝っていると、その男が再びあらわれ、笛を吹いた。親たちは祭りに出かけていたので、子どもたちは目立つ衣装をして奇妙な帽子をかぶった男のところへ集まってきた。町中のほとんどの子どもたちが笛吹き男の後についていった。

かれは町の門を通って山へ向かい、全部で130人の子どもたちが町から消えてしまった。耳が聞こえない子どもは、途中で引き返し、笛吹き男についていった仲間の状況を親たちに知らせた。事件を知った親たちは、びっくりして四方八方を手分けして探したが、子どもたちはどこにも見つからなかった。

嘆き悲しんだ市民たちは、この事件を記録にとどめ、「キリストが生まれた後の1284年にハーメルン生まれの130人の子どもたちが、笛吹き男に誘惑され、コッペンでいなくなった」と書き記した（その文書では、事件の日は6月26日ではなく、6月22日であったとされる。これはおそらく最初に笛吹き男が来た日付が記されたものである)。

グリムの伝説では、事件のきっかけは、市民がネズミ捕り男に約束した報酬を反故にしたことにあり、ネズミ捕り男が怒ってその復讐のために子どもたちを誘拐したとされる。約束を破ることは市民の倫理に反することであり、非難される行為であったので、ネズミ捕り男の行動は正当性をもち、読者が納得するものとなっている。それが物語の展開に不可欠な動機となり、物語形式として完成されたものといえる。

しかし、この伝説のルーツをたどっていくと、初期の話ではネズミ捕り男はまったく登場せず、復讐は本来の事件のモティーフでもない。もともと『笛吹き男』であったものが『ネズミ捕り男』に変貌したのだが、そのプロセスとペストの蔓延が深くかかわっていたのである。

最初、この話は子どもの失踪事件の口伝から、文書に記録されるようになった。その最古の資料である『パッシオナーレ』(14~15世紀に成立)には、「1284年のヨハネとパウロの日に、男女の130人の子どもたちが運悪く、奪い取られた。カルワリが子どもたちを呑み込んでしまった。主よ、罪ある人びとに災難のかからぬようお守り下さい」と書かれていたとされる。カルワリは近郊の山地であるが、この文書では大量の子どもたちが失踪したことだけを伝えている。もちろん記述は、キリストへの深い祈りと罪ある人間に対する警告が込められたものであった。

ただし、これらの一次資料も現物は喪失され、現在では間接的な二次文献しかない。当時のキリスト教の世界観では、事件は悪魔の仕業と考えられ、原罪意識の強い信徒は、逆にそれを神の怒りに触れたと解釈した。現存している最古の資料としては、近郊の修道士が書き写していた「リューネブルク写本」（推定では１４３０〜１４５０年に成立）がより詳しく事件の概要を伝えている。

ミンデン司教区のハーメルンで、キリストの生誕から数えて１２８４年のヨハネとパウロの日に起きた、異常な奇蹟を報告しよう。ひとりの30歳くらいの立派な服を着たきれいな若者がヴェーザー門から町へ入ってきたが、その姿や服装にみんなは驚いた。かれが変わったかたちの銀の笛を吹きながら町を歩いていくと、笛の音を聞いた１３０人の子どもたちが笛吹き男の後についていき、東門を通ってカルワリアの処刑場で消えてしまった。しかし、そのうちのひとりも、どこへいったかわからなかった。子どもたちの母親らは町から町へと駆けずり回って探したが、すべて無駄であった。

「ラマで声が聞こえた」が、母親たちは息子らのことを思って泣いた。人びとがキリスト生誕から1年目、2年目、3年目と数えるように、ハーメルンの人びとは子どもたちの出発と失踪から1年目、2年目、3年目と数えている。……（筆者訳）

この伝説でも、ネズミ捕り男のモティーフはなく、ただ笛吹き男が１２８４年にヨハネとパウロの日（6月26日）にハーメルンへ出現し、１３０人の子どもたちを攫っていったということしか書かれていない。その後、事件の主役が笛吹き男からネズミ捕り男へ入れ替わるという大きな変化を遂げる。これがいつごろなのか、そしてなぜなのかが重要になる。たとえば、16世紀になって、「チンメルン年代記」（1564～1566）やヨハン・バイアーの『悪魔のかどわかし』（1566）などで、この事件の記述にようやくネズミ捕り男が登場する。

ネズミ捕り男が現れた背景

では、なぜこの時代にネズミ捕り男のモティーフが加えられたのか。これについては、1551年から1553年にかけて、ハーメルン市を襲ったペストが1400人の命を奪ったという歴史が影響している。このペストは、前述のヨーロッパ中を震撼させた時代より後の、16世紀にドイツを波状的に襲ったもののひとつである。現在ですら人口5万8000人である小都市ハーメルン市にとって、当時、犠牲者1400人というのは致命的と思える数であった。この事件のおよそ10年後に笛吹き男がネズミ捕り男に変化しているのである。

まず、16世紀のヨーロッパは寒冷化し、小氷河期にあたり、作物の不作が続いていた。その結果、飢饉のため、餓死者も多く発生した。魔女狩りが頻繁に起こりはじめ、多くの無実の女性たちが処刑されたのも16～17世紀である。

他方で、歴史的にハーメルンでは、ヴェーザー川の水運と水車による製粉業が盛んであったので、この町にネズミが集まり、人びとはその実害に悩んでいた。そのような時代に、ハーメルンはペストに襲われ、多数のネズミのせいで大きな被害を出した。14世紀半ばのペスト禍

図2－10　最古の『ハーメルンの笛吹き男』の絵（1592）

より食糧事情が悪化していたので、さまざまな要因が集中したともいえよう。したがって、ネズミ捕りのモティーフのきっかけとしては、小氷河期で食糧が不足がちの時代に、集積した穀物を狙ってネズミがハーメルンに多数集まってきたので、それを駆除する必要があったという事実が挙げられる。

ペスト蔓延時に転地をすれば助かる人びともいたので、当時の人びとも、ペストの原因が感染症で、人と人、あるいは人と動物の間で移るのではないかということがわかっていた。しかし、ネズミ、ノミ、人間という感染ルートを正確に把握していたわけではないようだ。結果的に、ネズミ捕りがペスト対策としては有効であったということになる。事実、当時ネズミ捕りは職業として存在していた。こう考えると、笛吹き男伝説がネズミ捕り男伝説に変貌していった経緯がよく理解できる。

現存する図像にも、ネズミ捕り男に変貌した絵がある。最古のものは、1592年のアルザスの男爵アウグスティン・フォン・メルスペルクの旅行記に載っている絵である。図2－10では、目立つ縞模様の服を着た笛吹き男が左側に描かれ、背景にハーメルンの近景がスケッチされている。小舟に乗った笛吹き男が笛を吹いて、町のネズミをおびき寄せ、川でおぼれ死にさせている光景が見える。山腹では、笛吹き男が笛を吹きながら、洞窟のほうに向かっている。その途中に処刑場が描かれ、また中央には湿地帯があり、野生のシカ3頭が足を取られそうになっている。図像は非常に細かいが、これらが元の伝説と合成されて冒頭のグリム伝説集に収録されたという経緯をたどる。このことから、ペスト禍は伝説をも変えさせるきっかけを与えたものであったことがわかる。

6　ヨーロッパ人はペストとどう対峙したのか

検疫と隔離、マスクで防ぐ

感染症においては、定住と移動は深い関連性がある。プリミティブな定住社会であれば、感染症も地域だけの風土病にとどまり、広域に広がることはなかった。それが移動の文化と連動し、一定の条件に合致すると、たちまち広域に伝染する。とくにユーラシア大陸では、歴史

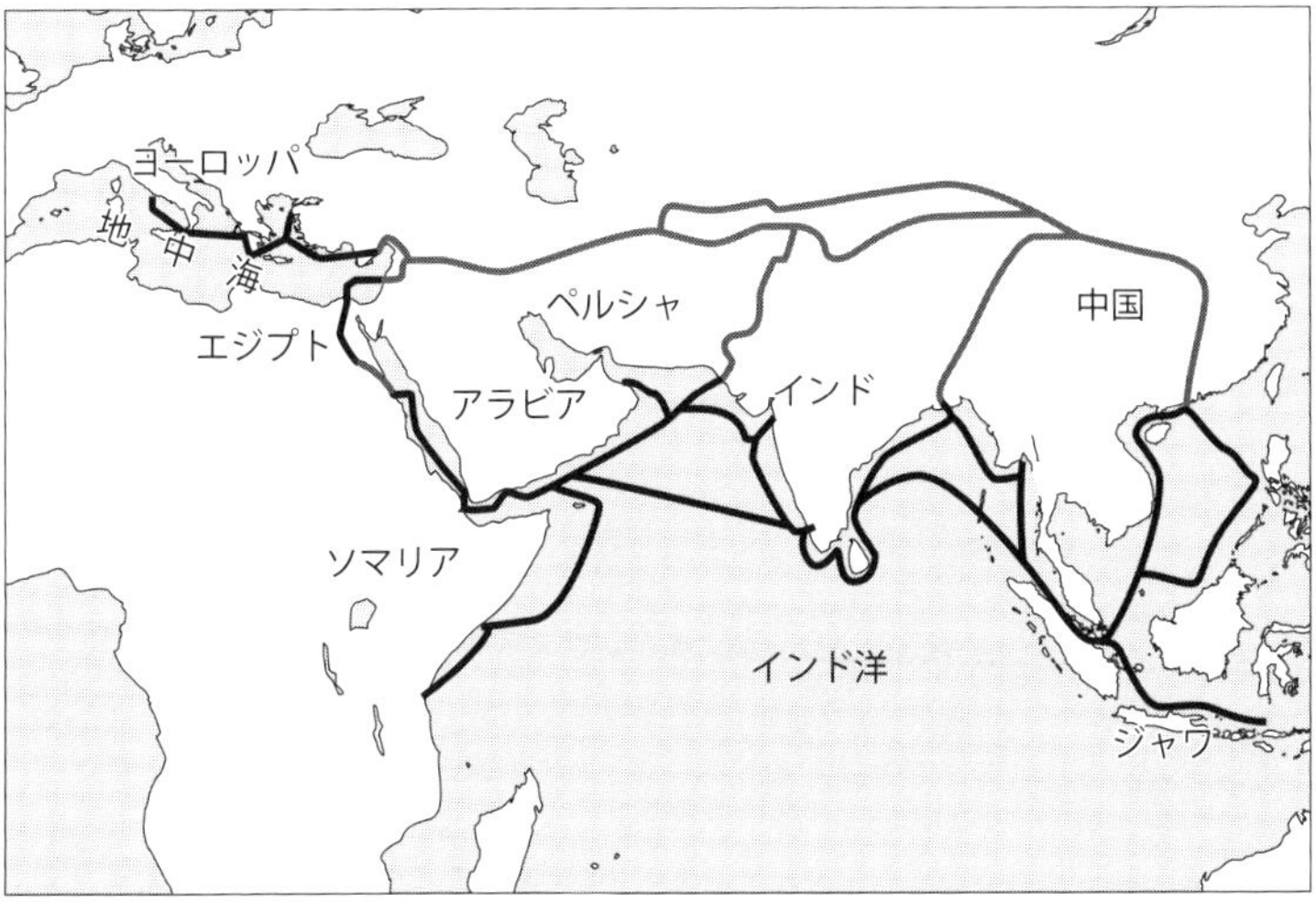

図２－11　シルクロードの陸上の道、海上の道

的にシルクロードが大きな感染症ルートであった。中世後期には、ペストを中国からヨーロッパへ伝染させる役割を果たしたからである（図2－11）。

当時の人びとも、ペストがシルクロードを介し、さらに交易船からヨーロッパへ流入してきたことを知っていた。そのため、外国貿易の拠点ヴェネツィア共和国の沖合の無人島に検疫所を設け、交易船を隔離した。入港する船は40日間経過観察をしたという。ペストがヴェネツィアへ侵入してから１００年遅れの１４４８年のことである。なお、これにちなんで、イタリア語の40日間（クアランティーナ）は、英語の検疫（quarantine）の語源となっている。40日というのはキリスト教におけるイエスの断食の期間から採られている。

それ以前においては、１３７４年にイタ

リア北部で、ミラノ公がはじめて次のような隔離政策を公布している。

だれであれペストに罹った者は、町の外に、田舎に移送され、そこで死を迎え、あるいは治癒しなければならない。ペスト罹患者の看護をしてきた者は、10日間隔離され、そのあとで初めて健常者と接触できるようになる。聖職者は病人を調べ、当局に報告しなければならない。これを怠った場合は、焚刑ないし財産没収の処罰を受けることになる。一方、ペストに罹った者たちは、その財産を国家に放棄しなければならない。この役目を任じられた者を除いて、何人といえどペスト犠牲者を看護してはならず、違反者は死刑の上、全財産を没収される。（蔵持不三也『ペストの文化誌　ヨーロッパ民衆文化と疫病』より）

ペストがネズミを宿主とし、ノミを媒介として伝染していった事実はまだ知られていなかったが、伝染性の症状から隔離がもっとも有効な方法であることを人びとは知っていた。ただし、ペストにはノミなどを介する腺ペストだけでなく、飛沫によって人から人へ感染する肺ペストもあって、爆発的に広がる特性をもっている。肺ペストになれば、短時間のうちに生命は奪われてしまう。現在でも、感染症は、検疫や隔離という方法を採っており、対応は同一である。もちろん、現在は、おもに航空機の発着拠点の空港で検疫がおこなわれているのはいうまでもない。

感染症を防ぐ方法は、洗浄、消毒、マスクや防護服などによる遮断、隔離などがあるが、原点はウイルスを遮断するマスクにある。ヨーロッパを襲ったペストに対しても、医者は図2－12のようなマスクを装着し、嘴にはハーブや香料などを詰めていた。当時の人びとは、ペストはミアズマ（瘴《しょう》気）説にもとづく、悪い空気が感染源であると信じていた。なお、手にもっている棒は、触診を避けるためのペスト医のトレードマークであった。

図2－12　医者のマスクと防護服（1656）

とはいえ、これはペスト菌に対して防護の役割を果たさず、医者自身も次々と罹病して死んでいった。そのため、家族であっても患者に近づくことを躊躇した。ペスト対策としては、祈禱や神頼み、占星術などだけでなく、伝統的な「血液、粘液、黄胆汁、黒胆汁」の四体液のアンバランスが発生原因であるといった荒唐無稽なものが多かったとされている。瀉血も実際おこなわれていたが、何の効果もなかった。もちろん、これらは現代医学でも無効であるとされている。しかし、マスクや防護服は必要な措置として、現在のコロナ対策でも踏襲されているのは、ご承知のとおりである。

都市のロックダウン

2020年2月下旬にイタリアでコロナが蔓延したとき、いち早く都市封鎖（ロックダウン）をしたのはミラノであった。同年3月9日にはそれがイタリア全土に拡大された。じつは、ミラノには、近代のペスト蔓延時（1629～1631）にロックダウンをした前例があった。ロックダウンによって被害を最小限に抑えることできたという成功体験が、コロナ禍の場合にも踏襲されたのである。ヨーロッパ大陸の都市は円形状の市壁をもち、近代では堀を構えて、防衛に配慮していたので、ロックダウンは容易であった。当時、ミラノでは患者を市外に隔離して、都市でのペストの蔓延を防いだという。

このようなヨーロッパの都市構造は、平時ではコミュニティ意識を醸成し、独特の都市文化を創り出した。広場は、近隣の農家の人びとが野菜や果物を売りにくる市場となり、大道芸人が自分の芸を披露する場所でもあった。さらにカーニバル、聖マルティン祭、ツンフト祭り、クリスマス・マーケットも、おもに広場で設営されている。都市の祭りはここを舞台に繰り広げられてきた。日曜の教会の礼拝の折にも、人びとはコミュニケーションをとることができた。広場は、ハーバーマスのいう「公共空間」であり、フォーラムという言葉は広場の意味に由来

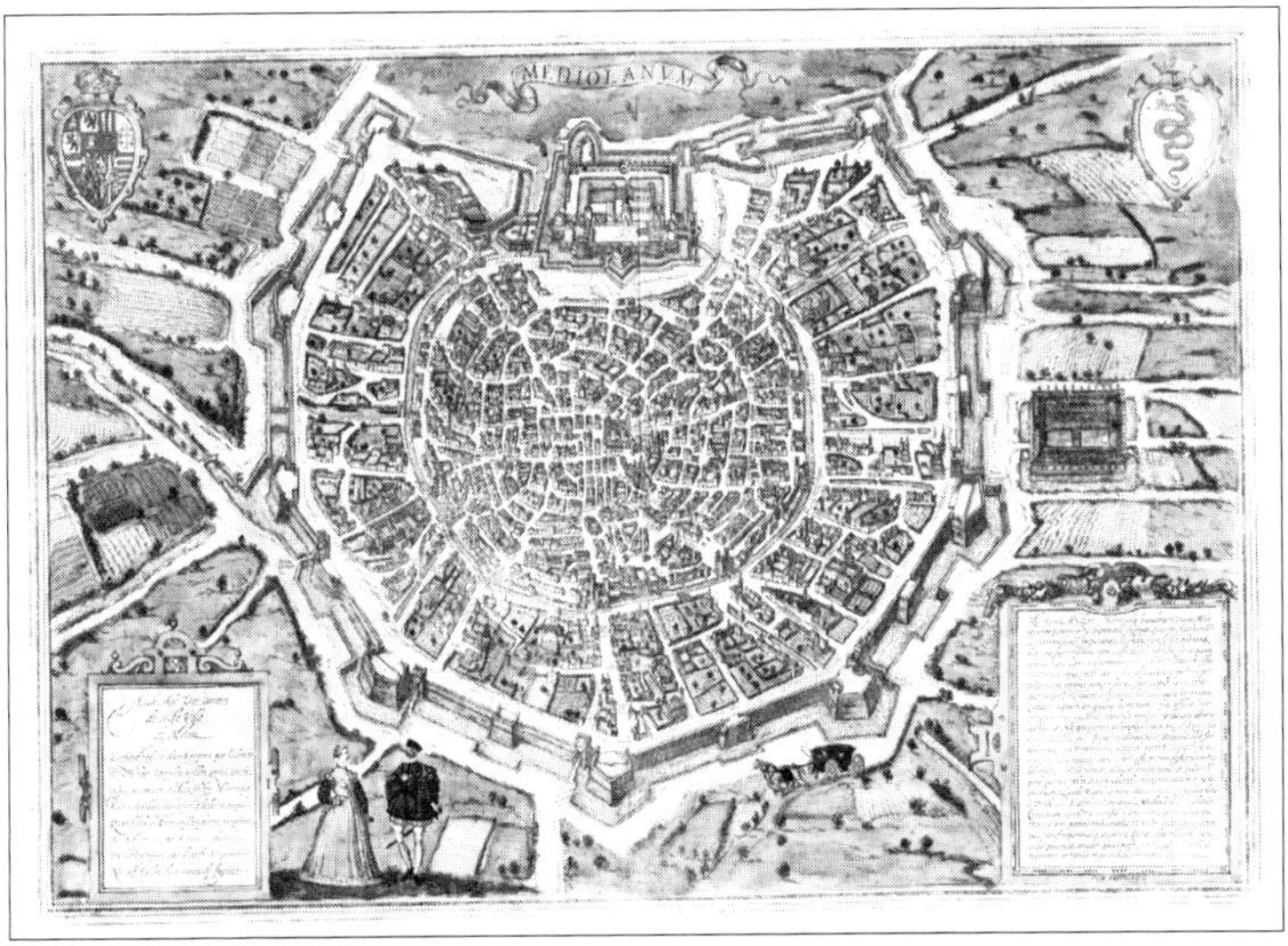

図2－13　17世紀のミラノの地図（右側の市壁外にペスト患者隔離の建物が残っている）

するものであった。こうして、都市はヨーロッパの市民社会を育む重要な役割を果たしたのである。

しかし、一旦疫病が襲うと、その文化が分断され、公共空間は感染の温床になってしまう。昨今のコロナの感染者の数が、ヨーロッパで圧倒的に多いのは、そのひとつに公共広場における接触という伝統文化があったからである。とくに陽気な南欧は人びとの交流の場を大切にしたから、被害が拡大した。

感染症が蔓延して、しかも特効薬がない場合、結果的には都市は閉鎖、隔離という方法で感染症に対処せざるを得なかった。これは時代がどう変わろうと、感染症に対する世界共通の防御方法である。カミュの『ペスト』でも、実話ではないとはいえ、都市オランはペストに対してロックダウンを実施した。とくに欧米各地でロックダウンがおこなわれているのは、以上に述べた都市構造とも密接なかかわりがある。

もちろん、感染者との分断の結果、不幸にも感染者が亡くなることがある。通常、人間の臨終の際、家族や親しい人との別れのセレモニーがおこなわれる。しかし、現在でも「指定感染症」の場合、死者は分断されたままの孤独死となる。感染の危険から、親族と対面できず、患者は意識があれば孤独のうちに自己を直視しながら死を迎えざるをえない。これは、患者と親族双方にとって過酷な死の現場だといえる。

7　ペストはヨーロッパ社会をどう変えたのか

中世末期の社会構造の変化

ペストがヨーロッパの中世を終焉させ、ルネサンスの近代を生み出したといわれる。しかし、それほど単純なプロセスでヨーロッパ近代が幕開けしたのではない。たとえば、ルネサンスという時代区分ひとつとっても、12世紀だとする説から、通常の15世紀を最盛期とするものまである。その前提には、中世後期のヨーロッパでイスラームやユーラシア大陸との交流が盛んになり、交易や人の移動が頻繁におこなわれていた背景がある。

中世社会の封建体制が、三圃《ぽ》式農法や商業活動の活発化によって、しだいにほころびを顕在化させていた事情もある。そのような状況で突発的にペストが蔓延したので、構造的な社会変化が複合的に生じたといえよう。社会変化のファクターのなかでも、ペストが大きな役割を果たしたのは間違いない事実である。その最大の要因は、人口減少である。

中世末期のペストによる人口減少は、当時の断片的な記述から判断すると、全ヨーロッパの人口約1億人のうち約3000万人にのぼるというのが大方の見方である。結果的に、これだけの数の死者は、生き残った者に財産を残したということになる。総論的にいえば、人口減少は人手不足によって労賃の上昇を引き起こした。一人当たり分の食糧も増加し、財産や土地の配分の増大という現象をもたらした。それだけでなく、封建体制の根幹をなした農業の生産方式において、土地に縛られていた農奴が死亡したり、自由に土地を離れたりしたことで、荘園制度の崩壊をもたらした。それとともに小領主や貴族が没落し、国王や商人の力が増大した。

農民たちが移動しやすくなると、有利な条件で耕作したり、なかには都市へ流入して市民となったりして、しだいに都市が発展していくようになった。かつては、食いはぐれた者が傭兵となって、戦争が頻繁に起こっていた。戦争は無くなりはしなかったとはいえ、ペスト蔓延時には国王たちが傭兵を集めるのに苦労したので、それは一時的に減少した。

社会の構造変化は、従来の家族や共同体のコミュニティを分断し、バラバラにしてしまった。感染への恐怖から、もっとも親しい人からも見放され、人びとは孤独に死んでいかねばならなかった。これを中世の集団主義から近代の個人主義の芽生えといってしまえば、近代化はあまりにも過酷な、そして悲しい代償を払わざるを得なかったということになる。

プロテスタントの萌芽と快楽主義

当時の社会において決定的であったのは宗教である。キリスト教では司祭は通常、死者に対して終油をしなければならなかった。本来はペストの死者に対しても同様であったが、感染の危険から、教皇はその免除を宣言した。それでも、司祭も同様にペストにかかり、次々と死んでいった。聖職者は医者と同様、ペスト禍の最前線に立たざるをえないことが多かったからである。そのため聖職者は減少し、なかには教会を去る者もいた。

聖職者の修業には時間がかかるため、補充は容易でなかったが、教会には信徒からの病気治癒の寄進や喜捨が多く届いていた。それのみならず、遺言などによって教会への財産の寄付が飛躍的に増えた。それを目当てに聖職者になろうという者も現れた。なかには傭兵帰りとかうさん臭い者もいた。女性と付き合っていたり、頭髪を円形に剃っていなかったり、僧服を着なかったりする者もいた。その結果、キリスト教の聖職者は信頼を損ねていった。

しかし、信者は一挙に神の不信にまで突っ走りはしなかった。むしろ、神に救済を願う気持ちが増大した。キリスト教は根底にまで行き届いていたのである。ペストは自分の罪ある行為のせいであると考え、前述した鞭打ち苦行をみずからに課していった。それでも効果がないとわかると、人びとは神に対して二通りの解釈をした。

一方では、司祭が十分に面倒を見てくれなかったり、不在であったりしたので、みずから神と直接対峙し、さらに信仰を深めていこうとする者がいた。これはカトリックの体系を無視するような発想を生み出し、後のプロテスタントの萌芽にもなりえた。絵画や芸術においても死が大きなテーマになり、後述するようなメメント・モリ（死を想え）が一世を風靡した。

他方、死に直面して、逆に刹那的に、あるいは自暴自棄になり、快楽主義に陥る者もいた。それは前述した『デカメロン』に例示されている。死の対極にあるこの人間のもつ生命力への執着は、反面、ルネサンスのエネルギー源となり、生への賛歌へも転ずる面ももち合わせていた。ペストによる死は単なる死でなく、生をも内包した二重構造をもっていたのである。

魂の救済と大聖堂の建設

キリスト教は、一神教の弊害を避け、エゴイズムや独善性、拝金主義のマイナス面とのバランスをとるために、隣人愛、寛容、慈悲、清貧の思想を教義のなかへ取り込んでいた。これらが信者の指針となって、善行が推奨されたのである。キリストが人類の罪を負って処刑される受難の物語は、多くの人びとを感動させ、その信者を増やしていった。また「慈悲の聖母」というマリア信仰も、マリアに神へのとりなしを願う切なる信者の心情を顕わしたものであった。中世の12世紀ごろからヨーロッパで都市化がはじまり、都市生活者の貧困や矛盾の広がりとともに、フランス、イタリア、ドイツでも、教会だけでなく都市の市参事会も同様に教会と連携して福祉に関与した。それによって、十分とはいえないまでも、孤児、生活困窮者、病人などの救済がおこなわれてきた。キリスト教精神にもとづくこのすばらしいヒューマニズムは、いまだに人びとを感動させ、こころを突き動かす要因のひとつである。

具体的にいえば、13世紀にローマ教皇はすでにバチカンの近くに病院を建設し、各地のカト

図2－14　ウルムの大聖堂

リック教会は、清貧や喜捨を奨励し、寄付の一部の費用でホスピッツ、老人ホーム、救貧館をつくってきた。さらに注目すべき点は、修道院がそのような慈善施設を寄進したことである。荘園からの寄付や修道院の事業で、修道院も豊かな富を蓄えていたからだ。これらの慈善事業が、社会的弱者を救済するシステムの役割を果たしていた。

　このように、教会や修道院が救貧施設や病院をつくって、献身的な看護をおこなったことはよく知られている。キリスト教の喜捨、無償のボランティア精神は、ヨーロッパの未曽有のペスト災禍時にも発揮され、人びとが死に瀕しているとき、それがこころの大きな支えとなった。しかし、ペスト時代の聖職者や介護人はまじめに本来の活動をおこなおうとすると、感染の危険性が増し、次々と犠牲になっていった。修道女も同様であったが、聖職者たちだけでなく、一般の信者たちも、むしろ死後の幸せ、つまり魂の救済を願った。

人びとのこころの根底にはキリスト教的な世界観があり、善行や喜捨をすることによって、人はあの世で魂が救済されると考えられていた。だから、キリスト教の信者は教会に寄進をすることによって、現世や死後の世界の平安を求めた。その結果、ペストの襲来は、教会に喜捨の基金が多数集まるきっかけをもたらした。喜捨は主に富裕層に限られ、貧困層は喜捨の原資すらもち合わせていなかったけれども、人びとはわずかな金額でも工面しようとした。

それをもとに、教会は、すでにロマネスク様式の大聖堂が建設されていた場合にはゴシック様式に改築したり、建て直したりした。世界でもっとも高い塔をもつ教会は、ドイツのウルム大聖堂(161・5メートル)であるが、これはペスト禍のとき、集まった基金をもとに1377年に着工された。途中、長い中断があるが、鐘楼まで完成するのは1890年という経緯をたどった。

後期ゴシック大聖堂は高い尖塔をもち、天上の神の世界へ接近するという様式で有名である。たとえば、ウルムの大聖堂の最上部(141メートル)へ昇ると町の展望が利き、素晴らしいパノラマが広がる。神のいる天上へ近づきたいという人びとの気持ちを共有できるだろう。

贖宥状と煉獄

キリスト教には罪の概念が根底にあって、信者たちは聖書のなかの原罪を意識し、つねに自己の罪と対峙してきた。また、キリスト教にはきびしい戒律があり、罪を犯すならば、1.罪を反省し、2．それを告白し、3．罪の償いをしなければならなかった。教会は「贖罪規定書」によって、罪を償わせたが、その際、一定の条件のもとに断食、代償行為をすれば、罰の減免が可能であった。

これがいわゆる「贖宥《しょくゆう》」であるが、ルター以前からすでに、十字軍への参加、教会への寄進、巡礼などに対して認められていた。教会は神とのかかわりから、社会の行動原理のパターンをつくり出すことによって、イニシアティブをとっていた。もちろん、「贖宥」は罪そのものに対しておよぶものではなかった。中世のキリスト教的な民衆運動は、このような「贖宥」という宗教的世界観にもとづいたものであった。ペスト蔓延時に発生した異様な鞭打ち苦行も、その一種と解釈できる。人びとは、ペストを罪に対する神の罰と考え、わが身を傷つけることによって、贖罪しようとしたのである。

先述したように、ペスト禍以降、教会に喜捨が集まり、それをもとに大聖堂の建築や改築をすることが流行になった。ペスト禍から時代は下るが、サン・ピエトロ大寺院の改築に莫大な資金を必要としたローマ教皇レオ10世は、このお金を捻出するために、1515年に「贖宥状」の大々的な販売を認めた。配下のマインツ大司教は、ドイツでの販売をドミニコ会のテッツェルに委託した。かれは教皇の印章付きの勅書を手にし、言葉たくみに「贖宥状」を販売した。日常生活のなかで罪や不安にかられていた人びとは、競ってそれを買い、「贖宥状」は飛ぶように売れた。お金さえ払えば、罪が許されるという短絡的な宣伝がなされたので、ドイツの神学者にとっても、事態は由々しきことであった。

ルターの「贖宥状」批判は、まさしくこのようなローマ・カトリックの「腐敗」に対するプロテストであり、反乱であった。「95カ条の論題」では、「贖宥」の権限をもつものは神のみであり、それ以外はできないとルターは考えた。すなわち、神と「神の代理人」との関係がここから問題になるのである。後に、ルターの思想はローマ教皇のあり方に対する疑問となり、聖書回帰へと展開するが、かれは金銭欲に俗化したカトリックを本来のキリスト教へと純化させようとしたのであった。

もうひとつ、「95カ条の論題」では、煉獄が問題となる。すでに、ローマ・カトリックは天国と地獄の中間に煉獄という概念を設けていた。小さな罪を犯した者は死後に直接、天国へ行けないけれども、身内が死者の贖罪のために教会に寄進をすれば、その徳によって死者は天国へ行けるとしたのである。しかしルターは、「贖宥」は煉獄に適用できないと反論した。このように、「95カ条の論題」の神学論争が宗教改革に転化していった経緯はよく知られている。したがって、ルーツをたどっていけば、宗教改革もペストの大災害と無関係ではなかった事実が浮かび上がってくる。

図2－15　ルター

8　メメント・モリ（死を想え）の記憶

死との対峙

日本では、死は忌み嫌うものとして、通常、図像や絵画ではあまり直視せず、避けられてきた。他方で、ヨーロッパでは死を絵画や紋章に取り入れ、後の世に代々継承している。感染症による死のモティーフも鮮明に記憶されてきた。なかでも骸骨のモティーフの図像は、社会学的にみればペストの死がトラウマになって、それがあらゆる領域に浸透してきた証といえる。いわば、人びとは死の集団妄想に囚われていたのである。当時のメメント・モリという流行語は、そのような風潮を物語るものであった。ボッカッチョの『デカメロン』でも、次のように記されている。

……看病してくれる人もなく、何ら手当を加えることもないので、皆果敢なく死んでいきました。また街路で死ぬ人も夜昼とも数多くありました。また多くの人は、家の中で死んでも、死体が腐敗して悪臭を発するまでは、隣人にはわからないという有様でした。夥しい数の死体が、どの寺にも、日日、刻刻、競争のように搬び込まれましたものですから、……墓地だけでは埋葬しきれなくなりまして、どこも墓地が満員になると、非常に大きな壕を掘って、その中に一度に何百と新しく到着した死体を入れ、船の貨物のように幾段にも積み重ねて、一段ごとに僅かな土をその上からかぶせましたが、仕舞には壕も一ぱいに

詰まってしまいました。（岩波文庫、野上素一訳）

このような死の強烈な体験は、ペストが蔓延した時代だけでなく、その後のヨーロッパの絵画にも連綿と受け継がれていった。

死を描く

ルネサンス期のドイツの画家・彫刻家デューラーは、有名な「死と紋章」（1503）という版画を残した（図２－16）。楯のなかに描かれた頭蓋骨は、一般にペストによる死の恐怖を表現

図２－16　デューラーの「死と紋章」

図２－17　ホルバインの「死の紋章」

するものとされるが、紋章学に通じていたデューラーは、野人の獲物の羽根をヘルメット飾りに、野人と花嫁を楯持ち（サポーター）に見立てている。かれは、さりげなく紋章の構図を用いて、野人と花嫁という生命力と頭蓋骨で死と生を提示したのである。

同じく、ホルバイン（1497／98～1543）も死をテーマにした紋章を描いた。かれの「死の紋章」（1538）も、頭蓋骨を正面に据え、メメント・モリの思想をあらわしたものである（図2－17）。楯持ちに男女を配し、ヘルメット飾りは時を刻む砂時計を描いている。この時代には、男女の関係も死のシンボルと対置され、二重構造を示している。これがルネサンス時代の美学潮流のひとつを形成していたことがわかる。

また、ヨーロッパ各地の寺院や墓地には、「死の舞踏」の絵が多数残されている。15世紀半ばのペスト襲来に因むものとしては、ピサのドゥオモ広場のカンポサント壁画、パリのサン・ティノサン教会内墓地の壁画、スイスのバーゼルのドミニコ会墓地のそれが有名である。

ブリューゲルの「死の勝利」は、処刑や戦争、病気、自然災害、難破などで生ずるあらゆる死を克明に描いたものである（図2－18）。よく見ると、国王とおぼしき身分の高い者から、騎士、庶民、赤ん坊にいたるまで、生ある人間はあらゆる死の恐怖に苛まれて、荒野のなかで息絶えている。死は不条理に人間を襲い、その勝利が明らかであるにもかかわらず、それでも骸骨の軍団は後から後からこの荒野へやってきて殺戮をくりかえす。混沌とした惨状は、直接ペスト禍を描いたものでないにせよ、メメント・モリを強く意識させる作品である。

図２－18　ブリューゲルの「死の勝利」(1562)

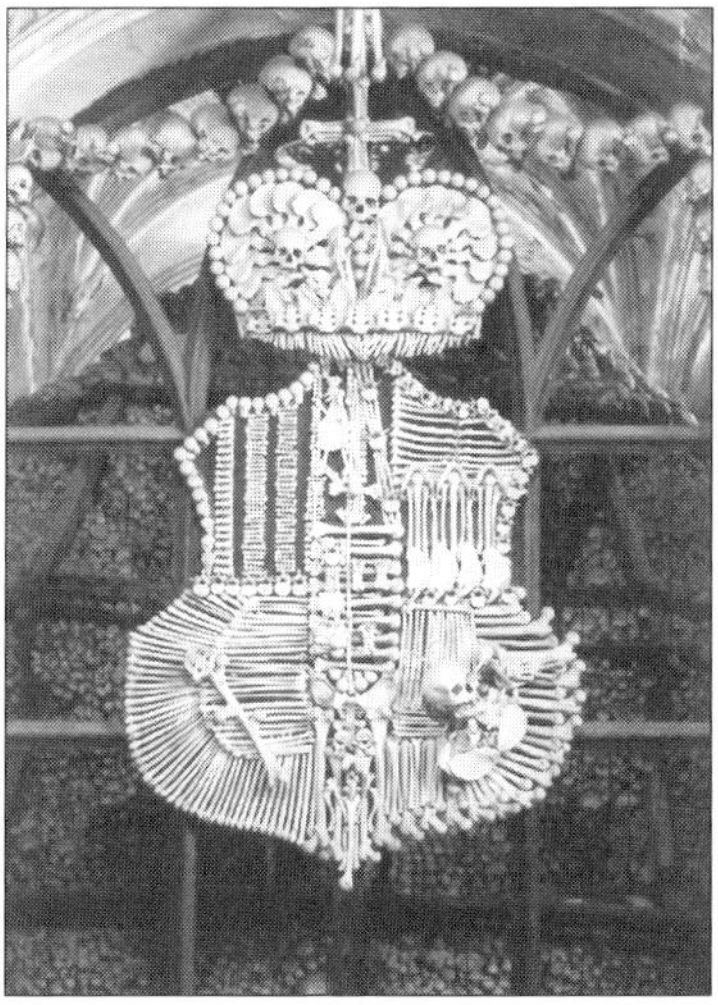

図２－20　クトナー・ホラ教会の人骨紋章

図２－19　ペスト記念柱

死の記念物

図2－19の写真は、1670年代にまたもやペストがヨーロッパを襲ったとき、ウィーンでペスト収束を記念して1679年に時の皇帝レオポルト1世によって建てられた「ペスト記念柱」である。当時、市内だけで10万人が死亡したといわれ、バロック風の図像は、三位一体の神にペストへの勝利の祈りを捧げる、シンボル的な記念柱である。後の世の人びとはこれを見るたびに、当時の悲惨さと神の加護をたえず再認識したのである。

このように、ヨーロッパではペスト襲撃時だけでなく、死そのものを視覚的に直視する文化が続いた。その極めつけは、プラハから70キロメートル離れたクトナー・ホラ教会である。ここには、シュヴァルツェンベルク家の遺骨が納められており、特異な骸骨が訪れた人びとを迎える。教会内には4万の遺骨が飾られ、紋章も人骨でつくられている（図2－20）。これは、カタコンベの納骨堂の伝統を踏襲しているものと考えられる。

このようなヨーロッパのメメント・モリの伝統は、キリスト教の死生観と深く結びついている。キリスト教では、死はたしかに肉体的死に他ならないが、魂は永遠の生命をもっていると考える。死を想うことは、生命の永遠性の深い意味を考えることに他ならない。キリスト教では復活、終末論、天国と地獄など、生死の問題がたえずクローズアップされてきた。

その内実はペストとかかわる文学作品でも深く追求された。たとえば、ペスト蔓延下の作品『デカメロン』、デフォーの『ペスト』、カミュの『ペスト』でも、視点は異なるが、死との直接の対峙、神の救済、反キリスト教的世界観との確執が採り上げられている。

9　梅毒——植民地からヨーロッパへ

コロンブスの探検隊

コロンブスの船員がヨーロッパへもち込んだとされる梅毒が、先住民のアメリカ側からヨーロッパへ伝染したのは15世紀末以降である。これは未開社会からヨーロッパへもち込まれた感染症ということになる。人間の移動の結果であることはいうまでもないが、この伝染の歴史的背景から、植民地の支配と被支配の関係が明らかとなる。ここでは以下に、その具体的なプロセスと、文明の変化を見ておこう。

まず、コロンブスがスペインのイサベル1世（カスティーリャ女王）の支援を得て、インド航路のための探検に出かけたのは、1492年8月3日のことであった。探検の目的は、キリスト教布教という大義名分とともに、スペイン女王にとっては領土拡大と植民地の宝石や金銀の獲得だった。しかし、コロンブスが率いた3隻の船団と90名の乗組員は、キリスト教の布教など眼中になく、富の獲得と先住民の女性との性的欲求を満たすことで、血眼になっていた。それはヨーロッパのジェノバ、ヴェネツィアなどの貿易港における娼婦館の繁盛を見れば、容易に推測できる。船員たちの女性との性文化もその延長線上に位置づけられる。

コロンブスの船員によって梅毒がヨーロッパにもたらされたという説には反論もあって、すでにこの病気は古代からヨーロッパに存在したという説もある。とはいえ、それはヨーロッパ史では説得力がなく、コロンブスの乗組員の帰国後にヨーロッパで梅毒が話題になった歴史が重視される。梅毒は、以後のヨーロッパの風俗史に大きな変化をもたらしただけでなく、政治にも影響を与えるものであった。まず、梅毒蔓延後のヨーロッパと比較する意味で、梅毒がもち込まれる以前のヨーロッパの性風俗を、おもに娼婦の世界とのかかわりから概観しておこう。

ヨーロッパの性風俗

中世・近代ヨーロッパでは、人口は都市に集中し、戦争による男性兵士の出征、戦死、男性商人の行商、聖職者やギルドの職人の独身制などによって、都市人口の20～30％が結婚できなかった。したがって、男女のアンバランスを解消するために、職人の町ニュルンベルクの都市法（1484）では、「より大きな悪を回避するために娼婦を維持する」旨が謳われた。行政当局のみならず、キリスト教も売春を容認せざるをえなかったが、その理由として、かれらは堅気の娘を誘惑や暴行から守り、治安を維持するという大義名分を標榜した。

当局は、都市の治安維持のために売春を容認したということであったが、その本音は税金の魅力だった。税金の記録は13世紀から確認され、市や教会、宮廷は経営者が納入する税金を当てにしていた。トマス・アクィナス（1225頃～74）は、娼婦の稼いだ金が教会に寄進された場合には、浄財とした。フランス国王シャルル7世も1445年に公営娼館に許可を与え、税金を徴収した。

都市には娼婦に対する根強い需要があったので、娼婦館が公然と出現し、性を売る娼婦が集まってきた。自主的に進んで娼婦になるという事例は少なく、いうまでもなく経済的事由がもっとも多かった。具体例を挙げると、貧困から抜け出すため、家族に身売りされたため、夫の死亡により生計を立てるため、さらには娼婦斡旋人、いわゆる女衒に騙されて売られたため、レイプされ社会から「傷もの」のレッテルを貼られたためなどとなる。したがって、売春行為の背後には、社会的な問題が内包されていたことがわかる。たしかに、娼婦はアウトサイダーであったが、更生施設まで存在しており、教会や市当局がその支援をした。

図2－21　風呂屋の男女の光景

　公の娼婦館と並行して、多くの公衆浴場が実質的には同じ目的でつくられた。浴場経営も売春と結びついたものが多かったが、従来型の部屋を売春のために提供するというタイプも多かった。前者の娼婦館については、図2－21のような入浴シーンが当時の風俗として描かれている。

都市の娼婦には、管理された娼婦館に雇われた者、私娼、街娼という区分が存在し、それぞれの客筋が異なった。娼婦館の経営は個人と市営があり、あろうことか教会が経営していたものもあった。イタリアではローマ、ヴェネツィア、ナポリ、フィレンツェの娼婦館が有名で、巡礼者、港町の船員たちの歓楽地となっていた。

先住民との物々交換

コロンブスの船団は、西インドのカリブ海諸島に到着したとき、本当にインドに到着したと錯覚した。長期間にわたり禁欲生活を余儀なくされていた船員たちは、島にいた先住民の女性を求めた。かれらは鉄砲や刀剣など武器においては優位な立場にあったけれども、いきなり暴力的に女性に襲いかかったりせず、慣習にしたがって鏡やガラス玉などの交換儀礼によって、最初は友好的な交流を図った。しかし、コロンブス自身はスペインのイサベル女王との約束もあり、金を必死に探し、先住民がその在り処《か》をいわなかったため（おそらく金をほとんど所有していなかったため）、あせって攻撃的になった。さらに武器を用いて残虐な暴力や虐殺や連行もおこなった。

船員と先住民の女性との交流は、コロンブスの場合、資料に残っていない。他方で、ずいぶん後の時代であるが、7つの海を支配したイギリス側の記録が残っている。植民地支配の先鋒として、クック船長に同行したゲオルク・フォルスターが、1773年にニュージーランドの先住民と遭遇し、カヌーで船の周りにやってきたかれらの女性と、品物との交換を交渉している現場について報告している。

かれらはあらゆる種類の道具や武器を売りにもってきた。船員たちも次から次に品物を見せて交換に熱心だったので、いろいろなものを獲得した。かれらの中に女たちもまじっていた。……彼女らの肌色はかなり明るく、オリーブとマホガニーの中間ほどの褐色で、髪はまっ黒、顔は丸く、鼻と唇は平たいというよりは厚い方であった。目は黒く、生き生きとして表情に富み、上体の均整がとれ、容姿はすぐれている方であった。われわれ船員たちは喜望峰以来、女性と交わったことはなかった。……この地では純潔ということがそうかたくなにとられるのではなく、女をものにするのがそうむつかしそうではないようだ。しかし美女たちの恩寵は単に彼女らの好みによるのではなく、絶対権をもつ男らが許可せねばならないのである。かれらの是認は大きな釘とかシャツとかそれに似た品物で買いとられた。女たちは欲するものについて男たちに相談する自由があり、さらに男たちを通じて贈り物を請うことができた。かくさずにいうが、女の中には強い反対を示しこの恥ずべき商売を拒んだのもいて、男たちは権威をふりしぼり、威嚇した。そして感情もなしに彼女らの涙を見つめ、嘆きを聞いている船員たちの欲望の犠牲に供したのである。ここで最大の嫌悪に値するのは、道徳的国民だといいはりながら実際は動物的なものに堕したヨーロッパ人か、それともかれらの女をこういう恥さらしに強いた野蛮人か、いずれであろう。わたしはこれに応えるすべを知らない。ニュージーランド人はこの卑劣さ以上の安い仕方で、簡単に鉄器を手に入れるすべを知らなかったので、大急ぎで船中を走り廻って娘たちや姉妹たちを無差別に提供したのである。(『ゲオルク・フォルスター作品集　世界旅行からフランス革命へ』三修社、八木浩訳、表記は一部改変)

ここでは、未婚の女性が品物との交換の対象となり、植民地と先住民との関係のバイアスを背景にして、物々交換のプリミティブな光景が展開されている。いずれにせよ、若きフォルスターが描写しているように、植民地主義の全盛期でも最初の出会いでは、強者が暴力的に行動しているわけではない。それは、15世紀末のアスティカ王国で探検家コルテスがインディオと出会ったときも同様であった。コロンブスの船員たちも、最初は、女性を求めたときには、ガラス細工とかをプレゼントしているのである。

もともとこの交換儀礼は、文化人類学の研究が報告するように、先住民において部族間同士の争いを避ける習俗であった。それは北西太平洋岸のネイティブ・アメリカンの習俗にも当てはまるものである。先住民は「白人」と遭遇した時も、贈与によって友好関係を築こうとしたのである。

しかし、北アメリカの開拓民は、かれらからプレゼントを貰っても返礼をしなかった。開拓者たちは、ネイティブ・アメリカンの最高の財産であるトリの羽根の飾りをもらっても、無造作に放置し、お返しなどしなかった。それどころか、かれらはネイティブ・アメリカンの土地を勝手に所有し、自分の財産とした。世界観の違いが対立の原因となったけれども、武力に勝る開拓民は、ネイティブ・アメリカンを虐殺したり、排除したりして、西部開拓を推進した。以上はアメリカ西部の開拓史の一コマであったが、ここで話をコロンブスの船員に戻そう。

梅毒の蔓延

西インド諸島からいったん帰国した船員たちは、いつものようにヨーロッパの港町の娼婦館に通った。そして、1493年にはバルセロナで、帰国して約2年後の1494年にヨーロッパで梅毒の症状が見つかった。

16世紀初頭にスペイン、イタリア、フランス、ドイツで梅毒が蔓延した経路を確認すると、やはりコロンブスの船員説を裏づけている。それぞれの国ごとにイタリア病、ナポリ病、フランス病という別名で、汚名をさけるべく、流入元を非難し合った。とりわけ大流行の発端となったのは、1494年にフランスのシャルル8世がおこなったイタリア遠征である。フランス軍がイタリアを南下し、ナポリへ進出したが、1495年にここで兵士の多数が梅毒にかかり、退却を余儀なくされた。その結果、中世末期まで大繁盛した娼婦館は、16世紀初頭に大きく変化する。

その後、またたくまに梅毒がヨーロッパ各地へ蔓延し、各地でパニックをひき起こしていった。ジャック・ソレの『性愛の社会史』によれば、1509年のヴェネツィア領には、異常ともいえる1万1654人の娼婦がいたが、やがて梅毒が性行為から蔓延することがわかり、人びとは娼婦館から遠ざかるようになった。彼女たちが当時流行していた梅毒を媒介したとされたからである。

公営の娼館や浴場も閑古鳥が鳴き、とうとう閉鎖された。これはルネサンス時代の自由な雰囲気に冷水を浴びせるものである。悲惨な梅毒の症状に恐怖心を抱いた人びとは、その対応に苦慮するが、1528年からはフランスのトゥールーズには梅毒の専門病院が設立され、さらに水銀を使った治療薬が普及しはじめた。

喉もとを過ぎた近代になってから、またぞろ都市部に娼婦館が復活してきた。さらに下水道などの都市衛生学の発達と連動して、梅毒をコントロールする方法を生み出した。すなわち、パリやベルリンでは、娼婦に医者の定期健診を受けさせるという、管理された娼婦館方式が広まっていったのである。

梅毒はその後も減少せず、増加し続けた。フランスでも、ルイ14世が建てたサルペトリエール病院は、娼婦を収容する施設と化した。やがて、政治的実権は貴族からブルジョアに移行し、植民地貿易や交流が盛んになると、売春や梅毒もますますグローバル化していくのである。

興味深いことに、近代の1858年における、主要ヨーロッパ（アメリカ）各都市の娼婦数と梅毒治療者数のデータが残っている（図2－22）。

この表のなかで、突出しているのはイギリスである。当時、7つの海を制覇し、大英帝国を築いていたイギリスは、多くの船員、兵士をかかえていたが、娼婦がかれらの性を賄っていた

図2-22　各都市の娼婦数と梅毒治療者数

（Pierre Dufour『売春の世界史』筆者訳）

都市名	娼婦館	娼婦数	掌握個人街娼数	梅毒治療者数（※）
パリ	204	1,502	5,000	8,094
ボルドー	12	70	493	529
リオン	54	370	690	473
マルセイユ	51	413	816	930
ナント	31	234	264	278
ストラスブール	30	247	250	336
ペテルスブルク	178	770	1,123	1,032
ロンドン	3,335	30,015	（イギリス全土で約 40,000 人）	12,670
リバプール	770	2,000		——
エディンバラ	263	800		——
グラスゴー	204	1,475		——
マンチェスター	266	710		——
ニューヨーク	618	7,860	6,000	14,770
マドリード	105	1,175	——	2,867
ブリュッセル	42	208	658	212
ハーグ	10	74	306	250
ロッテルダム	16	131	231	213
アムステルダム	19	200	700	530
ウトレヒト	4	87	111	86
ベルリン	24	240	600	2,133
ハンブルク	124	712	174	632
コペンハーゲン	68	194	56	——
ローマ	7	56	——	——
ライプツィヒ	66	264	300	7,800
スイス各都市	49	352	——	——
合計	6,490	51,061	57,572	53,708

※ 掌握個人街娼数は推定人数を含む。なお、イギリスの梅毒治療者数はロンドン以外不明。

図2－23　イギリスの娼婦館（1755）

構図がここから浮かび上がってくる。ロンドン港では、外国航路から帰国した船員に対して、輸送用の船舶である艀《はしけ》が売春のとりなしをし、かれらを娼婦館まで運んだ。

その代償については、ニューヨークと並んで突出した梅毒治療数が物語っている。この表は、繁栄した近代都市の裏面を示すものであり、その影は現代でもエイズや麻薬などが継承し、人間の変わらない本能の恥部をさらしているといえる。売春は差別、貧困、道徳的問題だけでなく、感染症という病気と複合的な問題をはらんできた。しかも感染症は、社会風俗の内実をも変えていったのである。

10　天然痘――ヨーロッパから植民地へ

スペイン探険隊によるアステカ征服

次に、新大陸のメソアメリカ（アステカ、インカ）文明の植民地化と感染症について紹介しよう。まず、スペインの探検家コルテス（1485～1547）が率いる一隊が危険を冒して大西洋を渡ったのは、新大陸を征服し、宝の山を入手しようとしたからである。コルテスがアスティカ王国へ侵入したとき、王はかれをケツァルコアトルという先住民の神と思い込み、歓待した。これはクック船長がハワイ島に寄港したときのケースと類似した出来事である。それにもかかわらず、コルテスはアスティカ王国を徹底的に武力で破壊し、たちまちのうちに滅亡（1521）させてしまう。

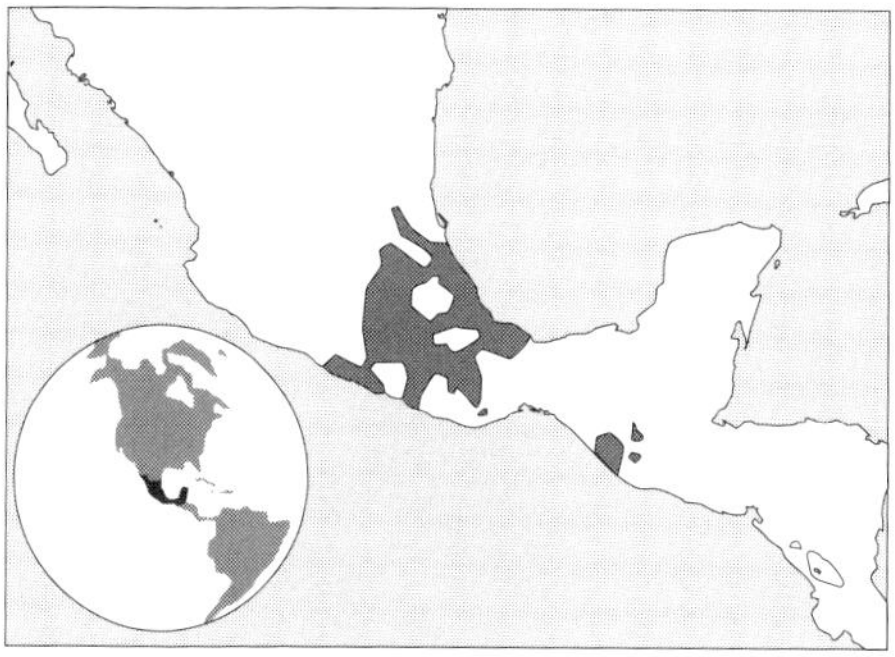
図２－24　アスティカ王国（1519）

図２－25　コルテスとアスティカ王の接見（1519）

征服者コルテスの軍隊は最大でも５５０人、実際の戦闘に加わったのは約３００人程度ときわめて少数である。アスティカの軍は数万、あるいは動員すれば十数万人もいたため、圧倒的な格差があった。たとえ、

図2－26　コルテス

スペイン人との間で友好関係が崩れ戦争になっても、通常は先住民の王側が勝利するはずであった。もちろん、アスティカ王国の悪政もあり、コルテスに内通するアスティカ軍もいて、戦力の差とは別のファクターも勘案しなければならないという背景もある。

とはいえ、1521年のコルテス軍の勝利は、世界史の通説では鉄製の武器と馬という戦力の差にあったとされている。当時、火縄式鉄砲がまだ十分に発達していなかったが、これが大きな威力を発揮したのは事実である。それだけではなく、感染症から歴史を見れば、もうひとつの文明滅亡の原因がクローズアップされる。スペイン人がこの地方に進出していったプロセスでは、天然痘ももち込まれ、その免疫がなかったインディオたちが次々と倒れていったのである。この感染症がアスティカの戦力を弱体化させた大きな要因である。梅毒の伝染した方向とは逆に、天然痘はスペインのコルテス探検隊が新大陸へもち込んだ感染症であった。

インカ文明の崩壊

同様に、スペインの探検家ピサロ（1470～1541）がインカ帝国を攻めたときは、もう少し人数が少なく、1532年のマルカの闘いでは総数168人で、何千もの敵を殺した。首都クスコを目指して4回戦闘をし、「スペイン側は、それぞれ80人、30人、110人、そして40人の騎兵で数千人から数万人のインディオを相手にした」（ジャレド・ダイアモンド『銃・病原菌・鉄』）という。ここでも、インカ帝国軍が天然痘で倒れるというパターンが展開された。ピサロ側は歩兵、騎兵、火縄銃で攻めたが、圧倒的な数の敵にことごとく勝利し、インカ帝国は1532年に滅亡する。

図2－27　インカ帝国（1525）

図2－28　ピサロ

　このような征服の歴史は、インディオたちが馬や銃、鉄をもたなかったところに起因するといえる。もうひとつ、本質的にメソアメリカの先住民は、スペイン人たちが金銀の財宝を狙う獰猛な植民地主義者であるという本性を理解することができず、単なる外交関係を結ぶ外来者とみなしていたことが挙げられる。

　しかし、もっと恐ろしいことは、すでにコロンブスの一行がこの地域に天然痘の病原菌を蔓延させ、コルテスやピサロの軍も同様に天然痘をもち込んだため、免疫のないインディオの多くが罹患し、弱体化していたという事実である。これはスペイン人とて意図しないことであった。それだけではなく、メソアメリカの場合、独裁体制のため、王を人質にすれば軍隊は反抗しないというしきたりがあった。両文明の滅亡後、とくに感染症や過酷な奴隷政策によって、滅亡時に1600万人いた人口が100万人に激減している。

ジャレド・ダイアモンドの『銃・病原菌・鉄』によると、その原因の根本は「家畜の有無がもたらした結果である」という。すなわち、ユーラシア大陸では多くの種類の家畜が飼われていたので、人びとは感染症にかかっても、家畜を介して免疫ができていた。しかし、ユーラシア大陸から隔離された状態にあり、少数の種類の家畜しかいなかった南北アメリカには、免疫がなかった。その意味においては、ユーラシア大陸での感染症の経験が、ヨーロッパ人の植民地支配の大きなファクターであったといえる。

天然痘と嗜好文化の交換

アスティカよりさらに南のアンデス山脈に囲まれたインカ帝国の場合、感染症の免疫はより少ないと想定される。アスティカ王国から天然痘は南下し、そこへスペインからの征服者が少し遅れて侵入してくると、インカ帝国は天然痘によってダメージを受け、武力による以前にすでに弱体化していたといえよう。アスティカ、インカのインディオたちは、天然痘によって結局、1000万人が犠牲になったと見積もられている。

アスティカ王国やインカ帝国の滅亡後、その文明も滅びたといえる。しかし、文明を支えていた根幹の食文化や嗜好文化は、変容を遂げながらメソアメリカだけでなく、世界各地に拡大した。文明は滅ぼされても、その文化遺産は受け継がれていくのである。いわば天然痘とひきかえに食文化や嗜好文化が交換されたといえよう。これはメソアメリカにとっては割の合わない交換であったが、地球規模でいえば大いなる貢献だった。

メソアメリカ産の作物のうち、移入地で生産できるものがあった。とりわけジャガイモが典型的で、ヨーロッパの食糧増産に寄与し、ドイツのほか、アイルランドでも食糧難の救済に役立った。また、トウモロコシやサツマイモは、ヨーロッパの穀物より約2倍の収量をもたらしたので、そのグローバル化は世界の食糧生産に計り知れないほど貢献した。

さらにトマト、唐辛子、ナンキンなども世界各地へ移入され、世界の重要な食文化の一部を担っている。嗜好品も世界各地で栽培されるようになった。これらのうち、以下では、タバコとチョコレート（ココア）の受容を取り上げたい。というのも、食文化や嗜好品がグローバル化し、他文明に継承される例は、文明の滅亡とその未来の関係を見るうえで重要だからである。

11　滅亡したメソアメリカ文明、世界伝播した嗜好文化

植民地のキリスト教化

スペインにとって、メソアメリカ文明（アスティカ、インカ）の宗教は野蛮であり、生贄などの習俗は原始的に見えたので、キリスト教化しなければならないものとみなされた。スペイン人は、アスティカやインカ文明の宗教的なシンボルである神殿を破壊して廃墟とし、さら

図２－29　キリスト教祭と土着の祭り（筆者作成）

キリスト教祭	土着の祭り
クリスマス 12月25日	冬至祭 ケルト・ゲルマン、ミトラス
公現節・東方の三博士 1月6日	ペルヒタ祭り、12夜 ケルト・ゲルマン
カーニバル 復活祭の前の40日（日曜を除く）に設定	サトゥルナリア祭 古代ローマの冬至祭のどんちゃん騒ぎ クリスマスと競合したので移動
復活祭 イースター、キリストの復活を祝う	春祭り　ベルティネ祭 ケルト、ゲルマン
聖ヨハネ祭 6月24日	夏至祭 季節の変わり目、6月22日
諸聖人の日 11月1日	ハロウィーン 10月31日、11月1日はケルトの新年
聖マルチン祭 11月11日	収穫祭、秋祭り
聖ニコラウス祭 12月6日	冬至祭 ローマ、ケルト・ゲルマンの前祝

にその跡にキリスト教の教会を建てた。現在でも、メキシコ各地の教会の地下で、アスティカ時代の神殿跡が発掘されている。また廃墟と化したピラミッドも遺跡として残存している。

それは、ヨーロッパで支配宗教となったキリスト教が、多くの場合常套的にしてきた方法であった。たとえば、古代ヨーロッパでは、地中海地域を強大な古代ローマが支配し、先住民のケルト民族が中央部に、北方にはゲルマン民族が居住していた。そのためドイツ地域にも、かつてケルトやゲルマンのアニミズムや多神教の神々が信仰されており、祭祀行事は、本来、これらの異教の神々に捧げられるものであった。

キリスト教がヨーロッパに伝播し、

支配宗教となると、異教の祭祀行事はキリスト教祭へと転換された。たとえばそれは、異教の祭りの上にキリスト教祭を覆いかぶせた構造に残っている。図式的にキリスト教祭と異教の祭りを対比すれば、およそ図2－29のとおりである。

これを見ても、キリスト教の祭りは、土着のアニミズム的な祭りと対になっていることがわかる。キリスト教祭は、ケルトあるいはゲルマンの異教の祭りに、接木されたものだったのである。

スペインは、アスティカ文明を封印してキリスト教化する際も、同様な方法を用いた。しかも、圧倒的なスペインの軍事力によって、キリスト教化はドラスティックにおこなわれた。こうして、アスティカの生贄の習俗をはじめ、宗教行事は封印された。アスティカだけでなく、南方のインカ文明のキリスト教化も同様な方法が踏襲された。

スペインにとって、新大陸の植民地化は、黄金や銀の獲得のためであった。文字通り黄金はスペインの統治者に収奪され、先住民はその採掘のために奴隷化された。先住民の習俗のうち、多くは廃止されたが、そのうち神との儀礼に深いかかわりがあったタバコとココア（チョコレート）は、スペインを通じて嗜好品として世界へ広がっていった。その後、植民地の主役はスペインからアメリカ合衆国へ変化していった。

タバコの世界伝播

歴史家のアルフレッド・W・クロスビーは、「コロンブスの交換」という非常に興味深い概念を提唱した。前述の天然痘のメソアメリカへの伝染と、メソアメリカから流出した食物を比較すれば、メソアメリカ文明にとってははるかに不平等な交換だった。ただ、程度の問題であるが、梅毒によってメソアメリカは、全世界へ「一矢報いている」ともいえる。

タバコは、先住民の宗教儀礼において、神との交信にも使われ、ココアは神の力をもらう精力剤、あるいは病気の治療薬と考えられていた。もちろんこれらは、グローバル化するうちに神との神聖なかかわりを否定され、薬用と嗜好品に変化して受容された。タバコのヨーロッパへの導入は、コロンブスのアメリカ探検に端を発する。コロンブス自身もそうだが、船員も先住民の煙を吸う習俗に興味を示し、これをヨーロッパにもち込んだ。

ヨーロッパでタバコは、一方では、キリスト教の倫理に厳しい人から悪魔の習慣であると批判されたが、他方では、薬効や精神的リラックスをもたらすものだという賛同派があらわれ、意見が分かれた。反対派で有名だったのは、イギリス(イングランド王)のジェームズ1世であった。王はタバコを野蛮な習慣と批判したが、賛成派も多く、禁止することができなかった。そうこうするうちに習慣性もあって、イギリスで喫煙者が増えていった。

ただし、問題は、タバコが奴隷を投入するプランテーションで生産されたことである。イギリスの植民地であったアメリカのバージニア州において、タバコの栽培は奴隷制による植民地経営と密接にかかわり、産業として発達した。とくに18世紀にイギリスのコーヒーハウスで喫煙する習慣が広がり、市民運動と融合した。今日では、タバコ有害説によって嫌煙運動が盛んであるが、欧米の近代化のなかで、資本主義とともにタバコは大きな役割を果たした。タバコもメソアメリカ文明の植民地の歴史を継承しながら、その文明が滅亡しても奴隷制のメカニズムのなかで世界へ受容されたのである。

チョコレートの世界伝播

カカオ豆を原料とするチョコレートは、紀元前から中南米のアスティカが原産地である。先住民たちはアオギリ科の木に生った実（図2－30）からカカオ豆を取り出し、乾燥させたあと粉末にして液体と薬味を混ぜ、飲料としていた。カカオ飲料は古代から神聖な飲み物とされ、もともと儀礼の時や王しか口にすることができなかった。結婚式にもカカオ飲料（ココア）を飲む儀礼が組み込まれていたが、これは先住民がカカオの媚薬としての薬効を知っていたからである。高価なものであったので、貨幣の代替物の役割も果たした。探検家コルテスは、アスティカ王が女性の侍る後宮に入るとき、ココアを飲むことを知り、これが精力剤の飲料だと信じた。こうして、ココアの慣習は、アスティカ文明の残滓としてヨーロッパに還流した。

図2－30　カカオの実

スペインでは、16～17世紀まで、ココアは原則として聖職者と王侯が独占して門外不出とした（図2－31）。アスティカの現地でカカオ豆が生産され、イエズス会が農園の管理をおこなったが、やがてスペインの独占はくずれ、イタリア、フランス王室に伝わる。当時、ヨーロッパで流行っていた「体液病理説」に照らして、カカオは「薬」とみなされ、支配者層で珍重された。

ヨーロッパ列強は、これも産業として植民地で生産させる方式をとった。タバコと同様に、ここにも奴隷制や資本主義に連なる南北問題の原点がみられる。カカオ豆の生産もチョコレートの製造や消費も、このメカニズムに組み込まれていたといえる。いずれも近代以降、欧米型資本主義の生産販売と連動している。

さて、現代では、図2－32にあるように、熱帯のカカオ豆の生産国は、アフリカを中心にか

図2－31　スペイン宮廷でのカカオ飲料

図2－32　カカオ豆の国別生産量

順位	原産地	生産量（トン）
1	コートジボワール	147万2,313
2	ガーナ	85万8,720
3	インドネシア	65万6,817
4	カメルーン	29万1,512
5	ナイジェリア	23万6,521
6	ブラジル	21万3,843
7	エクアドル	17万7,551
8	ペルー	10万7,922
9	ドミニカ共和国	8万1,246
10	コロンビア	5万6,163

出典：国際連合食糧農業機関「FAO統計データベース」生産、作物、カカオ豆（2016）

っての列強の植民地国ばかりである。そこでは、安い賃金で原料としてのカカオ豆が生産できるという理由で、プランテーションが経営されている。たしかにこれらの国々は、カカオ農場によって経済的に潤っている。とはいえ、単純労働のため付加価値をつけることができない。それればかりではなく、安い賃金による子どもの就労が社会問題化し、児童福祉の面でも大きな課題を抱えている。さらに、本来は食料として農産物を栽培すべき農地が、カカオ栽培に転用されることによって、食糧不足という深刻な事態も生み出されてきた。

生態系を破壊してまで、大資本が利益を上げるというプランテーションの現実は、なにもカカオ豆だけの事例ではなく、近・現代経済の構造的な問題であった。この「南北問題」は、「先進国」の人びとと、大きなコントラストをつくり出している。日本や欧米のチョコレート会社が経済的に潤ったとしても、熱帯の生産現場は過酷な現実と戦っているからである。アスティカ王国を滅ぼされ、さらにはその食文化を継承したプランテーションも同様に、負の連鎖のなかに組み込まれているのである。

12　スペイン風邪と第一次世界大戦

パンデミックの広域化

スペイン風邪は通称名で、現在のコロナのルーツと同類のインフルエンザ・ウイルスによる感染症である。発祥をアメリカとする説が有力であるが、ヨーロッパ説、中国説があって、現

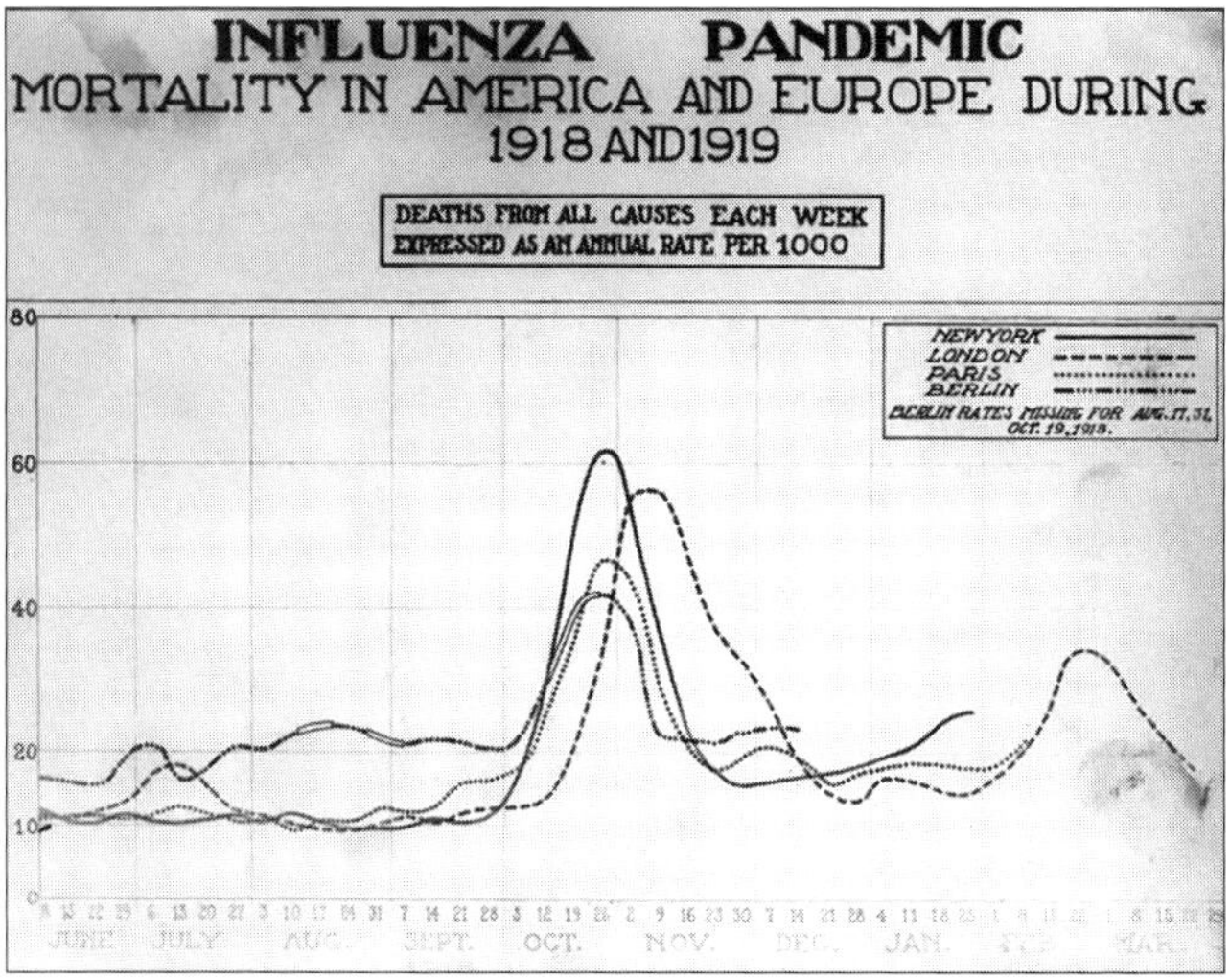

図2－33　スペイン風邪の都市別感染者数（1918年6月～1919年3月）

在では特定できない。それにもかかわらず、スペイン風邪が通称として定着しているのは、大戦中という特殊な事情があったからだ。

すなわち、第一次世界大戦後期に参戦したアメリカやヨーロッパで、敵味方となった交戦国は、情報統制を敷き、猛威を振るうインフルエンザの流行や犠牲者数を軍事秘密にした。公表すると、作戦上、弱点をさらすことになるからだ。ただ、スペインは中立国であったので、インフルエンザの情報をたえず発信した。そのため、スペイン発のような通称になってしまったというのが、その簡単な経緯である。

図2－33が示すように、最盛期は1918年の10月から11月の2カ月間であるが、そのピークはニューヨーク、パ

り、ベルリンではほぼ同じ時期であり、ロンドンは少しだけタイムラグがある。全部で5億人が感染し、少なくとも約5000万人の死者が出たと見積もられているが、前述のように各国はデータを公表しなかったので、異説もある。それにしても、第一次世界大戦最大の戦闘員の戦死者が900万人、非戦闘員のそれが1000万人であるので、戦争の犠牲者よりスペイン風邪の方が圧倒的に多数であったことがわかる。

この感染症の特徴は、先述のペストや梅毒、天然痘に比べて短い期間でパンデミック化していることである。これには、戦争の規模の巨大化と交通の発達が深くかかわっている。過酷な戦場の不衛生な集団生活や、銃後の人びとの食糧不足も、感染のスピードを速めたといえよう。

もうひとつ、アメリカ、ヨーロッパ、アジアという全世界に伝染した点にも特徴があり、現在のコロナのプロトタイプである。一説には、アメリカのカンザス州の陸軍基地で発生し、アメリカが第一世界大戦に参戦したので、スペイン風邪をヨーロッパへ蔓延させたといわれている。日本も日英同盟によって連合国へ参戦し、国内では感染者が2400万人、死亡者が39万人となり、一大パニックを引き起こしている。

ロシア革命とドイツ革命の連鎖

第一次世界大戦で中心的役割を果たしたドイツ帝国は、バルカン半島、ヨーロッパ東部、西部へと戦線を拡大していった。1918年3月にドイツ軍は、フランス・イギリス連合軍の防衛網を突破し、パリを目指したが、スペイン風邪の爆発的感染のピークに遭遇し、自国軍隊にも大きなダメージを受けた。やがて、アメリカ軍の参戦によって、ドイツ軍は西部戦線で不利な形勢に追い込まれる。

しかし、東部戦線では別の戦況が生まれていた。ここでドイツとオーストリア＝ハンガリー帝国軍はロシア軍と対峙する。１９１４年8月に、有名なタンネンベルクの戦いで、ドイツ軍はロシア軍に大勝利し、ロシアは壊滅的な大敗を喫する。これはドイツ軍にとって、１４１０年のタンネンベルクの戦いの復讐戦でもあった。さらに東部戦線で決定的であったのは、ロシア革命の勃発である。その混乱に乗じ、雪崩のように東方へ進軍したドイツ軍はロシア革命政府と協定を結び、事実上、東方戦線を支配した。すなわち、東部戦線ではドイツ軍は勝利していたということになる。

しかし、ロシア革命はドイツへ「飛び火」し、キール軍港の水兵の叛乱をきっかけに、１９１８年11月に首都ベルリンとミュンヘンで革命運動が勃発する。とくに、ベルリンの「スパルタクス団蜂起」とミュンヘンの「レーテ革命」が有名である。その革命家のルーツとしてマルクス、さらに革命を指導したベルリンのローザ・ルクセンブルク、ミュンヘンのアイスナー、トラーなどの主要メンバーには、ユダヤ人であるという共通する特徴があった。そのため、反革命派からは、革命運動やプロレタリアート独裁がユダヤ人の陰謀論とも結びつけられることになる。これが第一次世界大戦中であったので、ドイツは背後から「匕首《あいくち》」を突き付けられ、内部崩壊したといわれた。

ドイツ帝国は、第一次世界大戦における東部戦線の勝利と西部戦線の敗北という矛盾をかかえ、国内の革命運動や食糧難、戦場や国内で蔓延して猛威を振るったスペイン風邪などの複合的なファクターによって、敗戦という憂き目を見ることになる。ただしその経緯は、後のワイマル共和国のなかで、ヒトラーという怪物を生み出す土壌となった。

後のヒトラーは、徹底した反ユダヤ主義を貫徹したが、これはドイツ国内の革命運動を主導したユダヤ人憎悪と連動していた。後に、かれは東方生存圏を主張してソ連侵攻にこだわったが、これは第一次世界大戦の東部戦線勝利という成功体験に基づいていたことが挙げられる。想定された戦争による食糧難も、豊かな穀倉地帯のウクライナ占領などによって賄おうとした。うがった見方をすれば、スペイン風邪の猛威がナチスの「化学兵器」（サリンなど）の発想につながったとも考えられる。もちろん、日本も同様に、連合国側も「細菌兵器」を研究していたのは歴史的事実であるからだ。

コラム　スペイン風邪に襲われた有名人列伝

ヒトラーが嫉妬したクリムトとシーレの画才

　ここでは、スペイン風邪で亡くなった有名人とかれらの業績をあわせて少し触れておきたい。19世紀末から20世紀初頭のウィーンには、ハプスブルク家が最後の光彩を放ち、音楽、美術、絵画、文学でも、伝統継承主義とそれを打破するモダニズム運動が交錯していた。ウィーンは革命、反革命の影響を受け、世情も文化的退廃、官能への沈潜など、絢爛と混沌が織りなす渦中にあった。ヒトラーが画家を目指して、1907〜1913年までウィーンに滞在したことはよく知られている。

　ヒトラーは名門のウィーン「美術アカデミー」に二度挑戦し、二度とも不合格になったので、大きなショックを受ける。美術学校に入学できなかったことが、ヒトラーの屈折した芸術観を生み出した。とくにクリムト、シーレ、ココシュカなどのウィーンモダニズムを退廃芸術と決めつけるようになった。同時代に、16歳のシーレが一発で「美術アカデミー」に合格したので、かれに対して嫉妬心が渦巻いていたのである。

　芸術家の道を閉ざされた若きヒトラーは、ウィーンを彷徨しながら、しだいに反ユダヤ主義に傾き、退廃芸術を憎悪し、ワーグナー音楽へ傾倒していく。一般に、ヒトラーには画才がなかったと酷評する人がいるが、実際はそうではない。建築画としては非凡なものをもっており、風景画に関しても一定以上の才能はあった。とはいえ、人物画は不得手であったというのが結論である。ウィーン時代のヒトラーの絵を2枚引用しておこう。

図2－34が風景画で、図2－35が人物画である。ヒトラーの風景画は写実的なものであるが、とくに重厚な建物を好み、圧倒感がある。ただし、人物画はほとんど手本を模写するものであった。当時、ヨーロッパで写真が広がり、写実絵画は古臭いものとなりつつあった。そのためヒトラーに画才がなかったというより、画風が時代遅れとなり、かれは「美術アカデミー」からも排除されたのである。

図2－34　ウィーンのオペラハウス

図2－35　母子像（模倣）

しかし、古風で古典的な絵を好む顧客もいた。ユダヤ人の画商はヒトラーに絵を描かせ、売りさばいた。絵葉書の絵を模写することも多かったが、かれの絵は結構売れたという。画商は、商売になるヒトラーを重宝し、合計何百枚という絵を描かせ、ヒトラーの生計を助けた。ヒトラーはウィーン時代の体験から、モダンな芸術を嫌悪し、後のナチスの芸術観を導き出したのである。その結果、ナチスは前衛的・退廃的芸術、非ゲルマン的、ユダヤ・共産主義的芸術を排除していくことになる。

世紀末から20世紀初頭のウィーンではクリムト、シーレ、ココシュカなど、アール・ヌーヴォーのモダンな絵が主流となった。当時、時代の先端を行く分離派のクリムトやシーレの絵は、ヒトラーと違ってエロス、官能や退廃、生命力と死が漂い、構図も斬新であるが、独特の世界を打ち立てていた（図2－36）。それはいうまでもなく、ヒトラーの描く絵画とは対照的であったといえる。先述のように、若きヒトラーは調和のとれた、伝統的な絵の世界を目指していたからである。

クリムトは、伝統的芸術と一線を画し、斬新な画風の新潮流の旗手となった。クリムトの家にはモデルやパトロンなど、15人もの女性が出入りしており、かれはそれらの女性とも愛人関係を結んだ。結婚はしなかったが、私生児をつくってもあまり気にしなかった。名声を博し、第一人者として画壇に君臨していたクリムトであったが、脳梗塞の後、スペイン風邪に罹り、１９１８年2月に死亡している。

他方、女性関係にだらしなかったシーレは、妹とも近親相姦の仲となったり、幼児性愛者で逮捕騒ぎを引き起こしたりした。娼婦館の女性や、モデル、近隣の女性とも関係を結び、自堕落な生活をしていた。各地を転々としながら、クリムトの死後、ようやくウィーンで新潮流の旗手として認められ、かれの時代が到来するはずであった。そのころシーレは妻の妊娠を知り、「家族」を描いた。

図２－37で、シーレは、妻と生まれくるであろう子どもを包み込むようなポーズをとっている。しかし、１９１８年10月28日に、妻はスペイン風邪に襲われて、身ごもった胎児とともに死んだ。妻から感染したかれも３日後、同じスペイン風邪で亡くなった。このエピソードと残された絵を重ね合わせると、家族の希望に満ちた生と、突然襲ってきた死のコントラストが強烈に浮かび上がってくる。

スペイン風邪によるクリムトやシーレの死は、芸術家の不健康な生活態度と無関係ではない。といえば、あまりにも月並みな解釈と批判されるかもしれない。通常、規則正しく、清潔に気

図２－36　クリムト「接吻」

図２－37　シーレ「家族」

をつけた日常生活を送っている市民は、感染症にかかりにくい傾向があった。巷間では、市民は規律、秩序、法律を重視する。そしてまじめで健康を気にし、かつ清潔である。反面、芸術家には個性的で、自己中心的、破天荒な性格の者が多い。

たしかにヒトラーも、クリムトやシーレも芸術の都ウィーンの同時代の空気を吸って生きてきた。しかし、ヒトラーはあまりにも几帳面で、退廃とは無関係な市民的生活を送っており、芸術家タイプとは程遠い人物であった。スペイン風邪は偶然であるが、市民型と破滅型の芸術家タイプの人間のコントラストを見せつけたとも解釈できよう。

ウェーバーの資本主義論

マックス・ウェーバー（1864～1920）は、スペイン風邪の犠牲者のなかでも有名人であるだけでなく、20世紀の資本主義の発展原理を追求した代表作『プロテスタンティズムの倫理と資本主義の精神』（1904～1905）で知られ、社会学の分野で今日まで名を残している。とくにプロテスタントの精神主義は、物づくりでもツンフトや資本主義の発達と密接に結びつき、現代までプロモーターとされてきた。ドイツのツンフトは、まさしく宗教倫理にもとづく物づくりを目指しており、プロテスタントの精神とも親和性をもつものであった。

プロテスタントのカルバン派の予定説は、神があらかじめ救済される人とされない人を決めており、救済される人が天国へ行けるとした。人びとはこの予定説によって不安と恐怖に駆られるが、豪奢や浪費を慎み、禁欲的に天職（Beruf：神から与えられた職業）に励むことによって、神は救済を約束してくれると信じた。中世から近代初期にかけて、キリスト教的倫理観のうち、清貧を理想とした一派があったが、欲望の抑圧という精神主義がプロテスタント社会の中心核を形成していた。この禁欲主義のため、モノに対する欲望も好ましいものとみなされなかった。これでは近代資本主義は発達しない。

ところがカルバン派は、労働の結果が社会に貢献するものであれば、「隣人愛」による社会的福利になるので、神は喜ぶと考えた。また、人間の生き方のプロセスを知っている全能の神は、人びとが資本の蓄積を目的とするのではなく、労働の結果として利益を得るのであれば、その利益を容認してくれるとかれらは解釈した。同様に、忌み嫌われていた利子も、労働の成果から生まれたものであるので認められるとした。

図2－38　ウェーバー（1894）

つまり、プロテスタント（カルバン派）は目的と結果を逆転させ、勤勉な労働によって利益を生み出す仕組みを考えたのである。

なぜ、イギリスで先進的な技術が生み出されたのであろうか。ワットやスティーブンソンとは何者であったのか。かれらは現在ではエンジニアといえるが、いわゆる研究熱心な職人階級に属する。イギリスでは伝統的な職人文化があって、かれらは創意工夫によって評価されるが、その根底には勤勉な労働、職業意識というピューリタンの精神があったといえる。

後のドイツでダイムラーやベンツ、マイバッハらがガソリンエンジンによる自動車の開発をおこなったが、これもかれらがプロテスタントであったことと関係している。このガソリンエンジンも資本主義を発展させたイノベーションであるが、工場生産は勤勉な労働意欲に裏打ちされたものである。

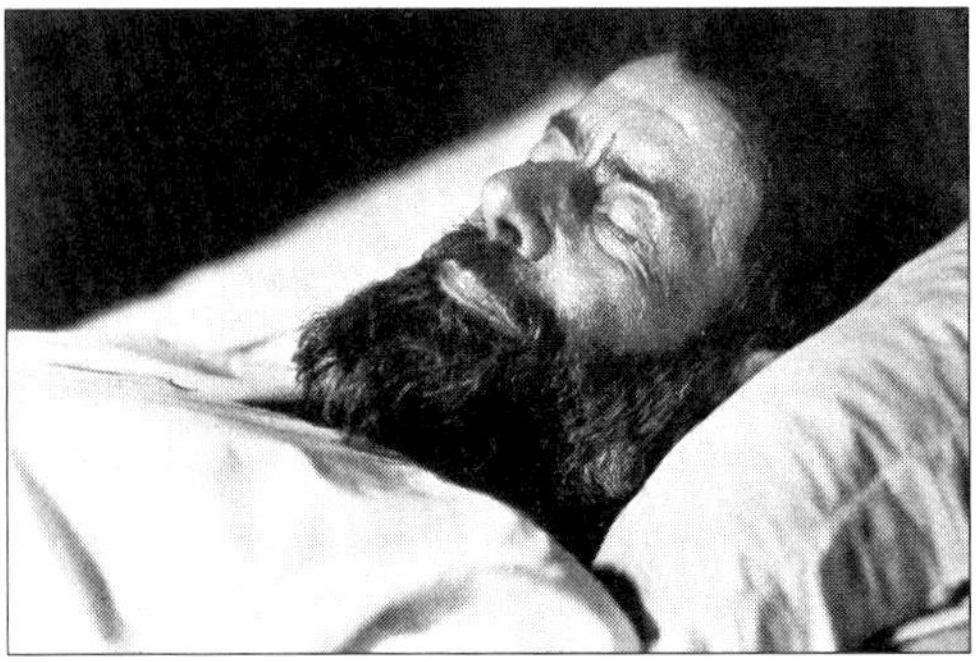
図2－39　臨終のウェーバー

ウェーバーは、とくにカルバン派の勤勉な労働意欲と合理的資本主義が深く結びつき、結果的にイギリス、アメリカにおいて近代資本主義が発達したとする。生み出された利益は消費や浪費をせずに蓄積しておき、それを投資することによって再び利益を生み出すというサイクルが生まれた。
ウェーバーは20世紀はじめの資本主義を体験するが、1920年にスペイン風邪から肺炎を発症し、56歳で死去した。その後、現代資本主義は、利益追求を目的とする「資本の論理」に変質化していく。その典型例がアメリカの大量生産・大量消費型資本主義である。この利益追求を目的化してしまうと、本来、プロテスタンティズムの清貧の倫理と相対立する関係になってしまう。その意味において、現代アメリカはピューリタン的な精神と、「資本の論理」の矛盾のなかにあるといえる。プロテスタンティズムの伝統は、むしろドイツ精神のなかに継承され、それが環境問題やリサイクルに熱心に取り組む姿勢のなかにあらわれている。このドイツ型とアメリカ型の方向は、現代社会の精神と物の問題を考察するうえで、重要なポイントとなる。

現代では、キリスト教の影響力が弱まるとともに、宗教的倫理感は度外視され、資本家は利益の追求にまい進する。そしてふと宗教心が頭をもたげてくると、気まぐれに獲得したり蓄積したりした財産の一部を寄付したり、ボランティア活動に加わって、精神的安定を求める。現代文明の基礎を創った近代アメリカは、本質的に「資本の論理」という獰猛なメカニズムを生み出し、大企業による買収、金融資本主義による「投機マネー」などによって、金の力でなりふりかまわず強者の論理を押し通すようになった。その贖罪のために、折に触れて私財を寄付するというボランティアをおこなうのである。

島村抱月と松井須磨子の心中事件

スペイン風邪は日本にも広まり、多くの犠牲者を出したが、そのもっとも有名な人物は早稲田大学教授・島村抱月（1871～1918）である。坪内逍遥の弟子であった抱月は、イギリスやドイツに留学し、日本の演劇界の中心人物となっていた。しかし、かれは女優の松井須磨子（1886～1919）と不倫の間柄になり、抱月の師、坪内逍遥の逆鱗に触れ、早稲田大学を辞任した。抱月は逍遥の主宰する文芸協会も追われ、すべてを捨てて芸術座を興した。かれはヨーロッパ文

図2－40　島村抱月
（国立国会図書館蔵）

芸の日本への導入において大きな役割を果たしただけでなく、日本の新劇普及に貢献した。このような事実は知られているが、この時代の精神を展望するためには松井須磨子の存在が不可欠である。

芸術座で上演された『復活』の劇中歌として、女優の松井須磨子が歌った「カチューシャの唄」や、後の流行歌「ゴンドラの唄」の作曲は、抱月の書生をしていた中山晋平がおこなった。この歌をはじめ、ヒットした楽譜の多くは、抱月が見出した竹久夢二の挿絵によるものである。ところが、抱月がスペイン風邪で突然死去（1918）し、須磨子が後追い自殺するという一大スキャンダルが起きた。これは退廃的、かつ抒情的世相を映し出す大正ロマンの象徴的な出来事であった。

松井須磨子は、1903年に結婚していたが、婚家で姑との折り合いが悪く、一年で追い出されるようなかたちで離縁された。おそらく美人の須磨子を妬んで、姑がそのように仕向けた可能性が高い。彼女は裁縫学校で見習いをしているうちに、舞台女優を目指す。その頃に再婚するが、舞台に専念して家事をおろそかにしたということで、ここでも彼女は離縁される。勝気な彼女は女優として舞台に立つようになった。

図２－41　松井須磨子

天賦の才能があったのであろうが、島村抱月の演劇論や指導によって、彼女はたちまち人気者になっていった。しかし、当時の女性が生きていくには大きな壁があり、抱月の自然主義文学運動によって、女性の生き方に大きな影響を受けたのであろう。彼女はイプセンの『人形の家』のノラのように自立しようと思った。このような時代精神は当時の文学青年たちに大きな影響を与えた。須磨子は１９１４年にみずからの芸術論をこう語っている。

私は女優としての誇りよりも屈辱の方をより感じて居ます。迫害せられて居ます。全体「女」というものは何の場合にも人に媚を呈さなければならないものでしょうか。……男の芸術が上に立ち女の芸術が次に立つ場合はそれで結構に納まります。けれどどうかして女の芸術が上に立つ時が有るとその時程この習慣を呪いたくなることは有りません。……自分の信ずる所に向かって進もうとすると、「女のくせに生意気で有る」とか、「女が言う意見に従うのは不見識だ」とか言ってそれに反対する。……あきらめの早い芸術家ならスッパリと芸術を捨てるでしょう。……けれど私の様に親を捨て姉妹を捨ててまでしてすがった芸術——世界のあらゆるものに代えたたった一つの宝で有る。その芸術にはなれるよりはむしろ死を選んだほうがましだと思う位ですから、……（松井須磨子『牡丹刷毛』）

彼女は、大正時代に芸術で身を立てていく場合、売れっ子役者でも、女性として大きな矛盾を抱えて、世間の女性蔑視に直面していた心情を吐露している。彼女は自立した女性であり、大正ロマンの時代に明確にジェンダーの問題を意識していたことがわかる。その限界を感じとったのか、抱月の死が引き金になり、後追い心中がおこなわれたと考えられる。

スペイン風邪に罹ったのは須磨子が先で、それを抱月に感染させたものであるから、残った須磨子の心痛はいかばかりであったか。師であり、愛人を死なせた思いがいやがうえにも身を責め立てていった。その原因は、スペイン風邪が引き起こしたものであったとはいえ、まさに現実がドラマのシーンと重なる。しかし後追い自殺というのは、あまりに解決方法が日本的なものでありすぎた。個の確立がまだ困難であった大正時代の悲劇を思い知らされるのである。彼女は日本の大衆演劇史に大きな足跡を残した女優であった。

ここで取り上げたのはクリムト、シーレ、ウェーバー、島村抱月、松井須磨子と、ごく少数の有名人のみであるが、ともにスペイン風邪を死因とし、1918〜1920年という同時代に悲劇は重なっている。それぞれ相互には何の関係もないが、かれらが天寿を全うしていれば、芸術界や思想界、演劇界に大きな貢献をしていたと推測される。

この時代は、20世紀の大きな転換期に相当した。第一次世界大戦後、ヨーロッパからアメリカの時代がはじまったが、スペイン風邪がその転機になったという解釈も可能である。むしろ正確にいえば、時代を転換させたのは、スペイン風邪で亡くなった途方もない多数の無名の人びとであったといえる。その膨大な人びとの犠牲によって、第一次世界大戦が終結し、社会の新しい方向性が生み出されたのではなかろうか。われわれは感染症の果たした歴史的意味を、ここでもう一度問い直してみる必要がある。

第3章　コロナ禍と近未来の社会

最後に、本章ではコロナ禍によって明らかになった文明の問題点をピックアップし、今後の近未来の社会を展望するために、巨視的な視点から具体的な対応事例を紹介しよう。

1　現代版バベルの塔

果てしない人間の欲望

欧米では、キリスト教における喜捨や愛の精神があり、蓄積した私財を教会や公共施設、美術館などに寄付する慣習が確固たるものとして存在した。博愛主義や倫理観、ボランティアの精神は長い歴史をもっている。しかし、キリスト教の陰りや利己主義の蔓延によって、そのような美風がしだいに少なくなってきた。かろうじて尊厳死などをめぐって、生命倫理が話題になる程度である。現在社会の頂点に位置する富裕層は、その社会的責任や資産の有効利用はしだいに例外となり、さらなる金儲け、そして豪奢な生活の追求が目標となって、その歯止めが利かない状態にある。

もちろん、それはアメリカだけの事情ではない。中国、インドでも一握りの富裕層がアメリカ型の生活を満喫している。その反面、貧困層はきびしい生活を余儀なくされ、あえぎ苦しむ構図が見られる。「資本の論理」の行きすぎはアメリカでも格差社会を生み出し、これが現代、日本を含めた世界規模でグローバルな広がりをみせている現象である。

個人の欲望も歯止めが利かない状態にある。たしかに、現代人は快適で便利に暮らすことができる時代の恩恵に浴している。その便利さの裏に、支える側の苦労という社会の見えないシステムがあることを理解する人は少ない。社会の変化もどんどんスピードを増し、逆に人間はそれに追われる毎日を過ごすようになってきた。これ以上、めまぐるしい時代の波に乗って、人間はどこに向かって行こうとしているのか。

日本では、地上の繁栄を謳歌しているようでも、少子高齢化が進み、地方が疲弊していくばかりである。政府の借金が膨らみ、それはやむをえないとする風潮がみられ、負債を減らそうとする兆しすら見えない。楽天的な経済学者は、借金は日本の経済力やバランスシートからみれば、杞憂に過ぎないという。本当にそうだろうか。

歴史を振り返ると、人びとの生活の苦境から、日本では農民一揆、ヨーロッパでは民衆革命が生じた。現代においてはデモやテロというかたちで、散発的にそのマグマは暴発するが、多くは顕在化してこない。それはセーフティネットのおかげで、最低限の生活が維持できるからである。だが、貧困社会の不満は鬱積した状況でたまったままである。実際に現在、未来に展望がもてず、最低限の生活を余儀なくされている人びとが増加している。

とはいえ、縮小社会を迎えている日本も、「資本の論理」から脱却することはできない。それはアメリカをはじめ、先進資本主義国が「資本の論理」で世界を席巻しようとしているからだ。それから脱落すると、日本は資本主義でも後塵を拝し、将来の生き残りへの展望をはかることが不可能となる。ところが「資本の論理」は、国家の枠組みすら超越し、コントロールが利きにくく、さらなるグローバル化を目指している。

日本の政府、官僚、経済界のトップたちは、日本が縮小社会に向かっていることは百も承知である。かれらは、国外の拡大するパイを狙って活路を見い出そうとしている。日本が世界の工場とみなされていた高度成長期とちがって、現在では製造コストが高くつき、海外に拠点を移さざるをえないが、海外でも製造コストはどんどん高騰している。

資本主義の成長神話は推進エンジンであり、その必要性を無視することはできない。しかし、グローバル化のなかで企業は合併を繰り返して巨大化する一方で、拡大路線がますます多くの矛盾を生み出している。その先では、大企業が中小企業を支配し、ブラック企業による長時間労働、派遣型社員という経営合理化に、現代人は翻弄されている。そうした果てしない欲望の増幅の真っただなかで、世界はコロナの痛撃を受けたのである。

以上は現代社会と感染症との関係である。一見すると両者はそれほど密接にかかわっていないようであるが、コロナを現代文明への痛撃と規定するならば、深いかかわりがある。ここでバベルの塔の故事と現代文明を比較すると、重要な示唆を引き出すことができるように思われる。というのも、バベルの塔においても人間の欲望と傲慢が問題にされていたからである。

バベルの塔

コロナは都市化や人口の密集する場所を好み、そこに大きなダメージを与えてきた。都市化の問題についてはすでに第1章で触れたが、このかかわりでいえば、直接的には、古代のバベルの塔と現代の超高層ビルが比較の対象になるかもしれない。限られた土地を有効に使おうとすれば、高層化や塔といった建物を垂直に建設し、上へ伸びてゆくしか方法がないからだ。『聖書』は、すでに人間のあくなき願望が有限のものであること、また果てしない欲望を「清貧の思想」によって戒めてきた。まず、有名なバベルの塔の故事について考えてみよう。

「創世記」にバベルの塔の建設由来が記述されているが、それによると、方舟によって生き延びたノアの子孫が、別れてそれぞれの国々に住んでいた。かれらはシナルの地に、従来の石と漆喰ではなくレンガとアスファルトという新材料と技術を用いて、名声を得るために天にも届く塔を建設しようとした。神の意志に反して塔は建設されたが、どんどん高く積み上げられていった。そこで神は怒り、今までひとつであった言語をバラバラにした。その結果、人びとは、意思疎通を十分おこなうことが困難となり、塔の建設は中断されたまま、人びとは各地へ離散していったという。

神がその計画を中断させたのは、人類が名声を得るために結束して大事業を推進しようとしたからである。本来それは神のなすことであり、神をないがしろにすることを意味した。

神は人間の傲慢を咎めるために、言語を混乱させ、コミュニケーションがとりにくい多言語にしたと解釈されている。バベルの塔は、実際におよそ3000年前の古代にバビロニアで建

図3－1　ブリューゲル「バベルの塔」(1563)

設された建造物と推定され、それはひな壇型の「ウルの塔」のようなもので、神殿のようなかたちをしていた。

この塔のイメージを受け継いで描いた芸術家がいた。時代ははるかに下るけれども、ネーデルラントの画家、ブリューゲル（父）である。かれは１５６３年に、「バベルの塔」（ウィーン美術史美術館蔵）を描いているが、まさしくこの塔は『聖書』にあるように建設中であり、古代の伝説にある雛壇型の形状をしている。中央の塔は先端をすでに雲の上に突きだしており、建築にかかわっている人間は小さく、それと対比すると、塔そのものはいかに巨大なものであるかがわかる。

ブリューゲルの絵の意図はいったい何であったのだろうか。素材は「旧約聖書」にとられているけれども、やはりそれは

16世紀のアントワープの世相をテーマにしていると考えられる。綿密に描かれた「バベルの塔」の人物像のうち、マントを着た指導的な王が不遜な人物として登場している。支配者である王が、平身低頭する建設の親方らしき人物を上から見下ろしているパースペクティヴは、王が「バベルの塔」から下界を見下ろすイメージと重なる。

ブリューゲルの絵は、まさしく権力者の傲慢な思い上がりへの警鐘であり、人間の名声欲の際限のなさを皮肉ったものである。塔の建設は中断されることから、神が権力者を断罪したと解釈できる。天まで届く塔は建設不可能な愚行であり、「バベルの塔」もその意味ではシンボル的存在であったといえよう。では、それを現代社会の現実に置き換えてみよう。

現在ではタワーマンションや高層建築が、バベルの塔と同じ発想で人間の叡知のシンボルとして天を目指して建てられている。これらは現代文明の花形であり、都市化のシンボルに他ならないが、いくら構造的に安全であっても、第1章で分析した（30ページ参照）ように、コロナ禍や災害に弱点をもっている。それは都市化がコロナの標的になったのと同じ理由に拠る。技術的名声を博しても、現在では神がその建造物を崩壊させることがないとしても、この世には思わぬ伏兵が潜んでいるのである。

ニューヨークの貿易センタービルのテロ攻撃

２００1年9月11日、ニューヨークの世界貿易センタービルは同時多発テロの一環として、ハイジャックされた航空機によって突入された。そのシンボルタワーを攻撃したのは、狂信的なイスラーム過激派アルカイダのテロリストたちであった。当時、ビルは多国籍の5万人の職場であったが、崩れ落ちた巨大なクレーターは、文字通り資本主義の墓標と化し、約3000人の犠牲者を出した。アメリカ資本主義の「牙城」であるだけに、攻撃目標として、テロリストたちは世界へのアピール度を十分勘案したのである。

いうまでもなく、このテロは卑劣な手段による存在アピールであった。象徴的な9・11のテロは、圧倒的な軍事力をもつアメリカに対し、弱者の反抗の一形態ともいえよう。テロは、力のアンバランスな状態のなかで、切羽詰まった弱者が取り得る対抗手段であり、狂信的な「殉教的精神」が突き動かす自殺行為である。

図3－2　炎上する貿易センタービル

もちろん、テロという手段によって一種の反撃を与えるとしても、力関係を逆転させることはできない。血で血を洗う修羅場をつくり出すだけである。人命を楯にする手法はいかなる状況においても否定すべきで、テロは許されるものではない。宗教的・政治的問題が絡んでいるとはいえ、グローバル社会の弱者が暴力的なかたちで強者に対抗したといっても過言ではない。が、その根源はきわめて根の深いものである。

これらの確執は、ハンチントンのいうイス

ラームとキリスト教との「文明の衝突」の要因となり、アメリカのイラク、パキスタン、アフガニスタンへの戦争は、テロとの戦いと位置づけられる。アメリカが強大な軍事力と政治力で制圧しようとしても、テロは根絶できず、憎しみの連鎖を引き起こすだけで、何も問題が解決しないのである。

キリスト教やイスラームの一神教の論理である正義か邪悪か、神か悪魔かという二元論を振りかざしても、全世界に対して、精神的なストレスを増幅させるだけである。このような力の論理の対極の概念である、多文化共生から対立の原因を考え、問題解決の道筋をつけるべきである。共生という概念は、今こそその平和学的な意味において注目される。

これらの方向性は、中沢新一氏が『対称性人類学』(講談社)で提唱している「対称性」の思想に集約できる。中沢氏はそのなかで、「神話」や狩猟民、古代の農耕民の世界まで立ち戻り、狩猟民が動物を大切に扱い、みんなでそれを分け合う。自然のなかで人間が暮らしていた「対称性」の原点から共生の世界を再構築しようとしている。

「資本の論理」は、世界レベルではもてる者、もたざる者の矛盾、過疎と集中というアンバランスをひき起こした。アメリカモデルは現代文明の原動力であり、グローバル化して、日本もそれに追従してきた。現代は共生という視点から、競争社会のモラルハザードを戒める方策を考える時期にきているといえよう。

バベルの塔の故事と、同時多発テロの延長線上にコロナ禍を位置づけることじたい、異質な現象を同列に置くべきではないという批判があろう。しかも神の所作と、テロという悪魔の行為を対比させる構図は、神を冒瀆するものだと断罪されよう。ただし、虚心坦懐に人間の行き過ぎた行為は、いずれにせよ早晩、制裁が加えられるものだと解釈できないだろうか。

現代文明論から見れば、両者は同じ範疇に入る。バベルの塔は神による戒めで崩壊したが、貿易センタービルはテロによる、一種の「悪魔」による戒めであった。世界的大都会ニューヨークの貿易センタービルに、現代文明の矛盾が集約されていると見なされたからである。コロナ禍も結局、現代文明の欲望が生み出したものである。果てしない人間の欲望への制裁は、途方もない悲劇を引き起こしてしまった。

2　成長神話からパラダイムの転換

成長神話と幸福度

人びとの意識には、文明は進歩していくはずだという確信がある。そして、今でも経済は右肩上がりで上昇していくという成長神話が生きている。近代ヨーロッパがつくり出した自然科学の発達がモノを生み出し、それが人間の欲望を満たして、豊かな生活をもたらすという確信が生まれた。モノは現実には自然から富を収奪し、それによって人間はより良い暮らしができるようになった。成長神話はもともとヨーロッパ型の世界観であり、日本は本来、循環型の世界観であったが、明治時代以降にヨーロッパ型の成長神話を移入したのである。

動植物が成長し、大きくなっていくことを見れば、社会も経済も成長して発展していくものだということになる。しかしそれだけではなく、動植物は衰え死んでいく。文明も同様で栄枯盛衰があることは、歴史が証明するところである。にもかかわらず欧米人だけでなく、日本の経済人や政治家においても成長神話は自明の理とされてきた。これが人類の未来にも続くという信念は、揺るぎないものであった。

コロナはこの成長神話に対しても痛撃を与えた。それのみならず、豊かな生活、エンターテインメント、日常生活すら崩壊の危機に晒した。それは第2章で見てきた感染症の歴史が物語っているとおりである。ちょうど、現代文明はその頂点に立っていたところであるが、人間はコロナによって成長神話の夢を打ち砕かれ、現実に対峙しなければならない状況に追い込まれ、右往左往している。

たしかに経済は大変重要である。コロナによる不況が人間存在の意味を再考させるきっかけとならなければ、コロナが収束し日常が戻ったとしても、またもや成長神話の呪縛に囚われ、複合不況のV字回復や劇的転換の特効薬を求めてしまうだろう。そうすれば、日本などは縮小社会のなかで、閉そく状態から脱出することはできない。

その意味において、今後のパラダイムを別の角度から眺めてみよう。これは人間の生き方や世界観の問題に帰着する。たとえば、国連の諮問機関「持続可能な開発ソリューション・ネットワーク(SDSN)」は所得、健康と寿命、社会支援、自由、信頼、寛容さという6項目を幸福の主な指標として、世界各国の幸福度を比較している。2019年度の世界ベストテンは、1位から順番に、フィンランド、デンマーク、ノルウェー、アイスランド、オランダ、スイス、スウェーデン、ニュージーランド、カナダ、オーストリアである。

これらの上位諸国は、いずれも比較的人口の少ない福祉国家という共通項がある。GDPと結びついているわけではないが、富の配分が比較的不満のないかたちでおこなわれていることをうかがわせる。なお、アメリカ18位、ロシア59位、中国86位というように、GDPが上位の国や人口の多い先進国はベストテンには入っていない。日本の幸福満足度は、2019年では58位と低い。

そもそも問題設定のうち、満足度のなかで、とくに社会支援、自由、信頼、寛容さという項目は、キリスト教的世界観の色合いが濃いので、それ自体がおかしいという批判もある。たしかに傾聴に値する意見であるが、この点を留保するとしても、日本の満足度の順位が同じ条件のもとで下がり続けている。すなわちGDPとは関係なく、年々生きづらくなっているといわざるをえないのである。

この点において絶えず話題になるのは、ブータンの「GNH・国民総幸福量」という概念である。すなわち、ブータンではモノではなく精神的な幸福度を問題にしようとしている。これには賛否両論があるが、GDPという経済指標一辺倒とは別の尺度から、人間の幸せを見い出そうとした点に、一石を投じたといえよう。

たとえば、図3-3の日本のデータはその典型例を示す。1981年から一人当たりのGDPと幸福度を経年比較したものである。これをみると、幸福感はGDPと連動しているわけではないことがわかる。この結果は、日本のように一定レベルの物質的生活が保障されていると

図3－3　GDPと生活満足度の関係

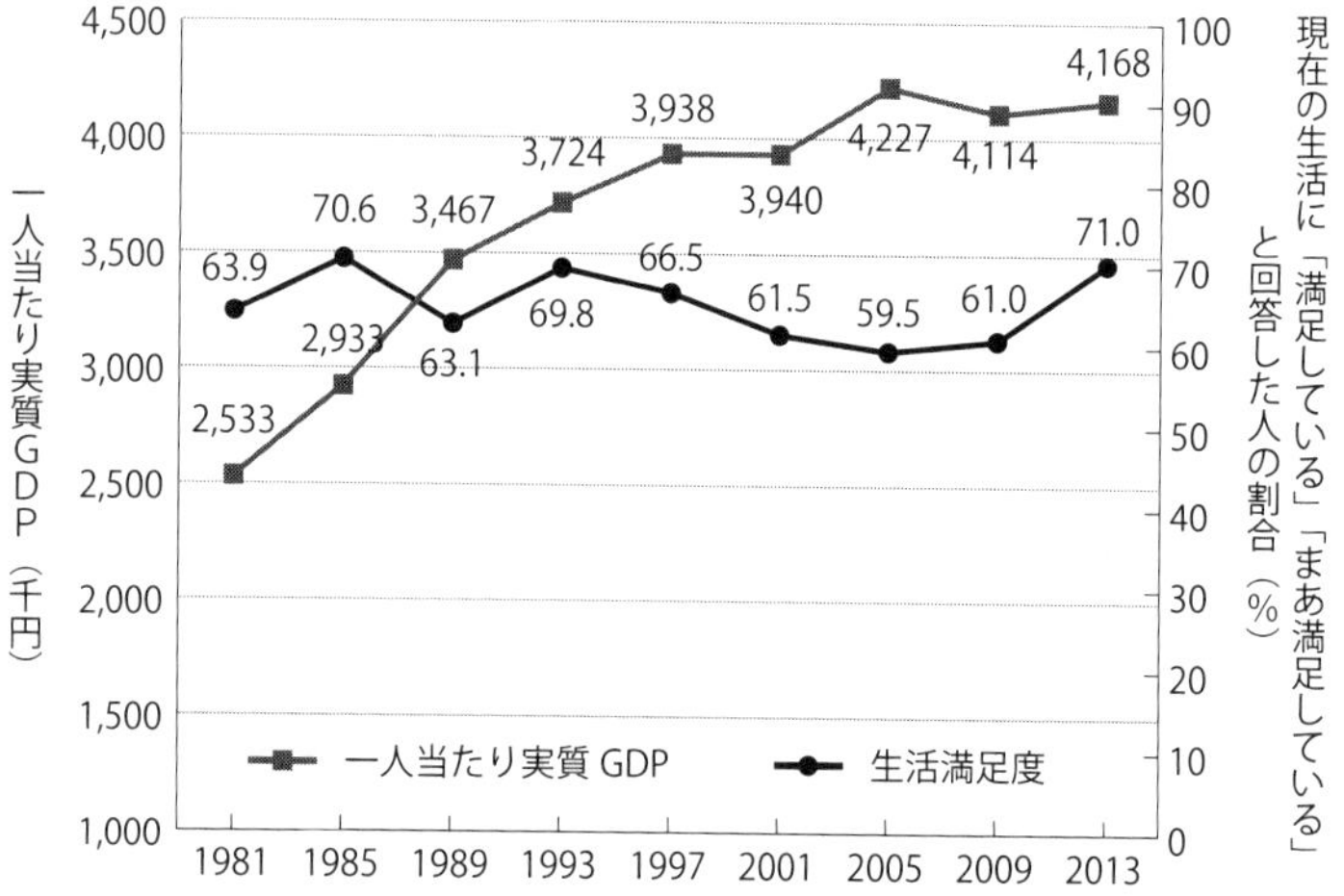

資料：内閣府「国民経済計算確報」「国民生活に関する世論調査」より作成

いう条件付きで、読み取らねばならない。もちろん、発展途上国と比較するデータではないということである。

GDPは国の豊かさをあらわすものとして使われるが、経済指標であるにもかかわらず、成長神話とセットになって独り歩きをしている点は、人口減少を迎える日本の近未来において、見直さなければならない。幸福度を測る場合には、多くのファクターがある。たとえばモノ以外に、人間関係、健康という3つのファクターがその幸福感情を左右する。モノは幸福度に大きな影響を与えるが、基本的なモノへの欲望が充足されると、それ以上モノを所有していても、幸福感はあまり増大しなくなるという特性をもっている。

幸福度の基準

人間関係では、モノよりも幸福度が大きなウェイトを占めることが指摘されている。家族、配偶者、恋人、身近なコミュニティを含む関係がうまく機能していると、幸福度は上昇する。たしかに、日本ではモノが身の回りに十分にある反面、人間関係はしだいに希薄化している。かつての近隣共同体が崩壊し、家族も核家族化しており、独身者の比率もどんどん高まっている。SNSによって個人的につながっているようであるが、人間的な交流は表層にすぎず、各人は孤立しているので、幸福感が低下しているといえる。

さらに、健康が幸福度の基本となるのは容易に理解できよう。日本の歴史において、過去の人びとの生活も豊かではなかったが、このような尺度で測ると、幸福度は高かったといえるのかもしれない。目まぐるしい現代から近未来への人間のあり方を展望するとき、モノ、人間関係、コミュニティ、生き方という視点は重要であるように思える。

以上のデータだけでなく、西村和雄（経済産業研究所）と八木匡（同志社大学）の両氏は、2万人を対象として幸福度を測り、その結果、もうひとつ別のファクターをクローズアップしている（「幸福感と自己決定――日本における実証研究」独立行政法人経済産業研究所、2018年）。

本研究では、……所得、学歴、健康、人間関係、自己決定を説明変数として、分析を行った。その結果、年齢との関係、学歴、世帯年収額、自己決定指標、主観的幸福感を決定する要因の重要度（標準化係数）では、幸福感が中年期で落ち込む「U字型曲線」を描き、所得との関係では、所得が増加するにつれて、主観的幸福度が増加するが、所得の増加率ほどには主観的幸福感は増加せず、その変化率の比も1100万円で最大となることがわかった。また、幸福感を決定する要因としては、健康、人間関係に次ぐ変数としては、所得、学歴よりも自己決定が強い影響を与えることがわかった。自分で人生の選択をすることで、選択する行動への動機付けが高まる。そして満足度も高まる。そのことが幸福感を高めることにつながっているであろう。国連の世界幸福度報告書での、国際ランキングでは、日本は幸福度がそれほど高くなく、特に国全体で見ると、「人生の選択の自由」の変数の値が低い国である。そういう日本社会で、自己決定度の高い人が、幸福度が高い傾向にあることは注目に値する。

こう考えると、幸福論のファクターは多くあって、これらが相互に複雑に絡み合っていることがわかる。いわば個人の人生の歩みそのものが幸福度の指標となっている。その意味において、縮小社会ではGDPや成長神話の右肩上がりによって、モデルを提示すべきではないということが理解できよう。成長神話は閉塞感を蔓延させるので、ここでもパラダイムの転換が必要となるのである。

要するに、コロナは、金儲けという経済システムではない人生観の展開がありうることも教えてくれた。仕事に満足する、人生を極める、プライドをもつ、生きがいを感じる、家族の幸せを願う。人びとは現実の利害のシステムから離れ、なつかしい自分の世界へ帰還し、身の周りの日常から精神的やすらぎを感じることができる。同時に、日ごろの精神的鬱積の溜飲を下げることができる。社会のなかで押し流されてきた自分を見つめなおすことにもなる。それは本来の生き方を求める所作であるといえる。過去のペストの来襲も、これまでのヨーロッパ人の世界観の再考を促し、新しいルネサンスや宗教改革を生み出していったが、コロナもグローバル化した資本主義の転換を促すきっかけになるのではないだろうか。

21世紀には経済成長が鈍り、日本社会にも閉塞感がただようようになった。少子化は政府や自治体がいくら旗振りをしても、急速に回復することはない。結婚もできず独身者が増加し、子どもをもてない貧困層が増えているからである。たとえ結婚したとしても、育児に負担がかかりすぎ、経済的に苦しい若年層が多い。東京の出生率は常に全国一低い（2018年の全国平均は1・42、東京は1・20）。

それでいて、人間の欲望は限りがない。だれしも便利で快適な生活をのぞむ。拡大した生活は後戻りできないのである。いったん知ってしまった快適さは、不可逆的な特性をもち、それをもとにして、人びとは将来を展望するものである。所有物を増やす、豊かになる、成功するという、拡大、発展プロセスは人間の本能であって、当然、それを追求するのは自然な成り行きであるとする側面を否定することはできない。

したがって、個人レベルでも、意識と現実の乖離現象に直面しているのである。少子高齢化問題、人口減少、貧富の格差の増大という現実と、コロナ時代の閉塞感のなかで、日本は向かうべき方向を模索すべき時にきている。

3　コロナとデジタル時代

コロナと産業構造の変化

すでに第1章で述べたように、コロナは第三次産業といわれるサービス業に壊滅的な打撃を与えた。対面接客を基本としたこの産業は、人と人とのコミュニケーションが不可欠なため、コロナの感染の防御に、大変な労力を必要としてきた。物理的、化学的な方法だけでなく、非対面式の新しい働き方もクローズアップされるようになった。

また、金融機関や商店もキャッシュレスとなり、現金を使用しない支払方法がしだいに広がり、無人レジ化の実験もはじまっている。自動改札は日本では早くから導入されてきたが、介護施設でも、介護ロボットの導入が進められている。警備員の代わりの監視カメラ、ドローンの利用、教育でもウエブを利用した遠隔授業もすでに実施済みである。デジタル化は各種の移動型無人装置、頭脳労働、翻訳機など多分野にわたり、コロナをきっかけに目覚ましい発達を遂げてきた。

このように第三次産業のサービス業も、ＩＴ（情報技術）、ＡＩ（人工知能）を利用した新しいツールによって内実が変化し、とくにコロナに対処する方法として急速に注目されるようになった。これらのデジタル化はすべてではないが、必然的にイノベーションを起こし、未来の経済を牽引することが可能となる。

さらに人口減少で直面している縮小日本において、人手不足とＧＤＰの低下をカバーする技術として、多くの識者のいうようにＩＴ、ＡＩなどを最大限利用する方策が、問題解決の可能性を秘めている。楽観論的に見れば、企業だけでなく社会構造の大変化が進行中であるが、こうすれば少なくとも縮小社会の人的問題は解決の方向を辿るであろう。これらの技術は、頭脳労働やブルーカラーの労働力削減に大きな役割を果たすからである。これはたんに産業だけでなく、政治にも有効に利用できる。現在でもすでに実施されている国もあるが、ネットを使った投票も試みられている。そうなればガバナンスも大きく変換することであろう。

前述のように、近未来には人間の多くの仕事の分野は、ＡＩやロボット、ＩＴによって代替されよう。極論をいえば、代替できないのは創造的な仕事と芸術分野だけに限定される。唐突な例示であるが、江戸時代後期の葛飾北斎は、生活するのがやっとの暮らしぶりでも、モノに執着せず、絵一筋に生きたという。斬新な遠近法による自然や人物描写は、はるか日本を越えヨーロッパにジャポニスム・ブームを巻き起こした。北斎は70歳前の絵はほとんど価値のないものとし、89歳まで生きた。晩年の絵は現在から見ても、見事な構図とアイディアにあふれている。凡人には無理だが、ＡＩやＩＴ時代に打ち勝てるのは、芸術的創造以外にはないように思われる。

AI、IT産業と倫理

コロナによる産業構造の変化は、一方で倒産する零細企業群を生み出し、他方で巨大なＩＴ企業であるアマゾン、アップル、フェイスブック、グーグルなどに莫大な利益をもたらした。

この極端なアンバランスを解消し、利益の有効な社会還元システムを構築しないかぎり、社会的不均衡がますます顕在化するいびつな資本主義に対し、新たな展望を拓くことはできない。それを是正するためにデジタル課税というシステムを導入する方法がある。もちろんＩＴ企業はグローバル化しているので、一国内でこの課題は対処しきれない。自由な資本主義の原理に制約を加える場合、Ｇ20（20カ国・地域首脳会議）などで協定を結ぶしかない。

国家はＩＴの巨大企業を放置するのではなく、資本主義の矛盾を是正する方策を講じる義務がある。アメリカの大統領選挙の民主党候補者指名レースで、サンダーズ氏が格差是正、国民皆保険、地球温暖化防止という政策を打ち出して善戦したのも、アメリカにおいてこれらが極限に近いところまで至っていることを物語る。苦境に陥ったコロナの犠牲者たちを救済するために、膨大な利益を上げている企業が社会的貢献をするのは当然のことであろう。いわんやＩＴ企業から献金を受けて、その延命に手を貸すことはあってはならないし、大きな不均衡を改善しないかぎり、資本主義は行き詰まってしまう。

さらにグローバル化とデジタル化には、プラットフォーマーによるネットの情報収集とその運用の問題が生じる。これは資本主義国だけでなく中国でも大きな問題になっている。公共の福利という名目で、反体制派を抑え込み、監視社会を作り出すからである。資本主義社会でも、巨大ＩＴ産業が商品販売の際に、倫理規制がないと暴走する危険性がある。個人の好み、行動、プライバシーまでもが実質、ほとんど筒抜けではないか。目的が商品販売のためとしても監視社会・資本主義がまかり通ることになる。そのための倫理的なルール作りが不可欠である。これらの技術のソフト面ともいうべき倫理規制を、だれがおこなうのかが問われる。

同様に最近、話題のAＩ武器がある。アメリカなどの武器メーカーが開発して、戦場に投入しようとしている。武器商人も、これを銃の保持と同じ論理で売り込もうとしている。自衛や自由を標榜するが、銃の保持を規制もせず、アメリカ国内でも多くの人命が失われているにもかかわらず、AＩが自衛の武器だとする解釈は、とんでもない攻撃武器にもなる危険性を秘めている。要するにAＩやＩT化において、巨大な利益を生み出すとしても、これらを無制限に放任することはできないのである。

4　不条理を生きる

カミュの『ペスト』

コロナの出現は、戦後流行った「不条理」を再考させる契機になった。それは現在、前述のカミュの『ペスト』が日本でベストセラーになっていることとも無関係ではない。というのも、コロナが人類を襲っていることそのものが不条理であり、われわれはその意味を問われているからである。

たしかに人類は、これまで苦しめられてきたペスト、天然痘、コレラ、梅毒、エイズなどの感染症に対して、治療法を開発してきた。しかし現在、コロナに対しては、有効なワクチンや薬、治療法などがまだ見つかっていない。さらにこれが突然変異をして、死亡率を高め、悪性化する可能性も否定できない。こうした状況で感染するのは、まさに「不条理」そのものといわざるをえない。

カミュの『ペスト』は1947年に書かれた。舞台はアルジェリアの町オラン、ここをペストが襲った。ウイルスの蔓延を防ぐために、町は長期間封鎖された。医師のリウーは、目の前で「罪なき人びと」に襲いかかるペストによる死に立ち向かう。かれの信念は「誠実」「職務の全う」であった。遅々として対策が打ち出せない行政に対するいら立ちのなかで、パヌルー神父は「このペストはオランのもつ罪に対する神からの罰である」（宮崎峰雄訳、新潮文庫）と説教をする。

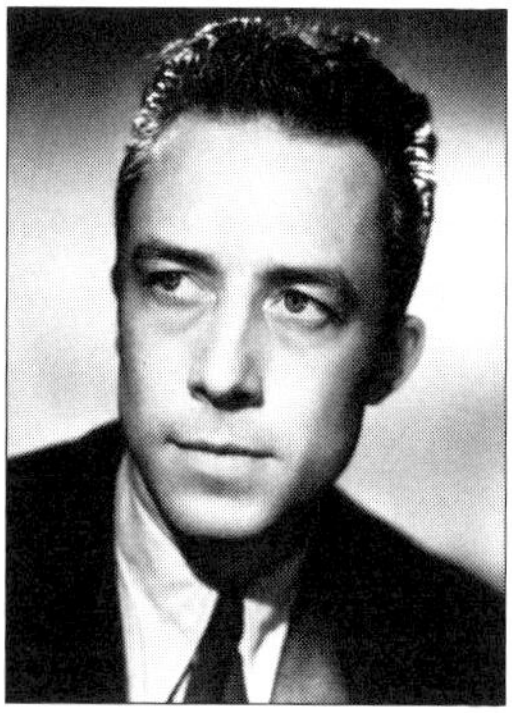

図3－4　カミュ

しかし、罪もない少年の死に直面して神父は動揺し、みずからペストに罹って治療を拒否して死んでしまう。ペストは人間の尊厳を踏みにじり、愛を引き裂きながら、まったく平等に人間に襲いかかり、死へといざなう。ペストのために、人間はまったく不条理のまま死んでいかざるをえないのである。

本書の刊行当時、ヨーロッパではイデオロギーが生きていた。ナチスは崩壊したが、マルクス主義の「思想」は健在であった。「人類の救済」「善」というヒューマニズムの理念も存在していた。これはフランスの哲学者リオタール（1924～1998）に拠れば、「大きな物語」に分類できるであろう。当時、サルトルはこの「大きな物語」に全幅の信頼を置き、それを信じないカミュと対立していた。この思想的背景から『ペスト』を読めば、主人公の医師リウーのスタンスはよくわかる。

「大きな物語」と「小さな物語」

リオタールがポストモダンの在り方を「大きな物語」の終焉といってから、もう40年がたつ。20世紀後半のポストモダンでは、これまで思想や知が求めてきた「人間解放」や民族統一、マルクス主義的イデオロギー、構造主義などは、終焉を迎えたとする。その象徴的な歴史的出来事は、1980年代の共産主義国家の消滅である。ポストモダンの普遍的な「大きな物語」から、個別の「小さな物語」へ移行しているのも事実であろう。『ペスト』の主人公リウーが誠実に医者として職務を全うしようとしている姿は、「小さな物語」を先取りしていたのである。

図3－5　リオタール

リオタールやカミュはヨーロッパという視座から語っているが、日本の場合、屈折しているのはヨーロッパの文化受容との関係で見なければならないことである。日本が大きく変わったのは明治維新以降で、欧米の「大きな物語」が移入され、これが目標となり、人びとを熱中させた。資本主義やキリスト教だけでなく、社会主義やマルクス主義も受容された。

たしかにキリスト教は日本には定着しなかったが、欧米の「大きな物語」は揺るぎないものとなり、日本の高度成長期まで続く100年間、「大きな物語」がすべてのバックボーンであった。しかし、バブルがはじけ、イデオロギーの権威も揺らぎ崩壊し、日本だけでなく世界も目標を失って漂流するようになった。それは欧米型の文明の崩壊を意味する。政治・経済だけでなく、宗教、思想・哲学に及び、人間の生き方にまで影を投げかけるようになった。

欧米文明の根幹であったキリスト教は、一種の「大きな物語」の典型例であった。キリスト教の宗派や国家の内情によって事情は異なるが、近年、ヨーロッパでは無宗教がどんどん増え、北欧圏、旧社会主義国にその傾向が強い。ヨーロッパですら、キリスト教の「大きな物語」は揺らぎ、衰退の道を歩んでいるのである。

現代社会でも、「大きな物語」に呪縛され、普遍的な「思想」を追い求める者はいる。わかりやすい例を挙げれば、従来型の啓蒙主義、社会正義、アメリカンドリーム、アメリカンヒーロー、立身出世、ヒューマニズムすらも「大きな物語」の目標を示している。資本主義の目標であった「金儲け」に熱中する人びともいる。しかし、これからは「大きな物語」というコンセプトは通用しない。なぜならパターン化された成功モデルは、「架空の疑似体」であってリアリティをもちえないからである。

カミュの『ペスト』の結末も、確かにペストは収束するが、それで人びとが歓喜に包まれてハッピーエンドになるわけではない。語り手は、ペストの再来を予言するかのように、「ペスト菌は決して死ぬこともなく消滅することもないものであり、……家具やトランクやハンケチや反古《ほご》のなかに辛抱強く待ち続けていて、そしておそらくはいつか、人間に不幸と教訓をもたらすために、ペストが再びその鼠《ねずみ》どもを呼び覚まし、何処かの幸福な都市に彼等を死なせに差し向ける日が来るのであろう……」（宮崎峰雄訳）という。

それは人間が傲慢である限り、ペストの再来はありうるという、一種のニヒリズム的な思想を顕わしている。地球上を波状的に襲ってきた感染症の歴史を見ても、感染症の再来は明らかである。もちろん、今後とも新たな感染症を根治することができず、人間は不条理を生きていかねばならない。それでも現時点で人類ができることは、地球環境の悪化を食い止める試みであろう。いわば地球環境の悪化が感染症を生み出しているのだから。これは人類共通の「大きな物語」のようであるが、そうではなく、各人が追求する「小さな物語」を実現する基盤という意味においてである。

5　食糧自給率

第一次産業と外国人労働者

農業や漁業という自然を対象とする第一次産業は、コロナの影響をもっとも受けにくい職種であるといわれてきた。感染リスクが他の産業に比べて低いからだ。ところが、ＥＵでも日本でも、産業構造のグローバル化が進み、労働賃金を軽減するために、第一次産業でも外国人労働者を頼りにするようになってきた。外国人の移動を前提にすると、とくに農業分野はコロナ騒動にも大きな影響を受けることになった。

農業は自然相手であるので、とくに農繁期と農閑期の差が激しい。フランスでは、ディディエ・ギヨーム農務相の発表によると、新型コロナ関連の失業を緩和するために、農業部門の求人を募集したところ、20万人以上の応募があったとされる（2020年4月7日：AFP）。これはフランスにおける5月のアスパラ、トマトなどの収穫作業、その輸送の助っ人として、注目すべき名案である。

フランスはもともと農業国で、食糧自給率は127％を誇る。通常、農業部門では20万人の外国人労働者を受け入れていた。2020年は国境封鎖のため困難視されたので、国内求人で乗り切ろうとしたが、それと同時にその後、国境封鎖を緩和し、例外措置によって外国人労働者も受け入れようとしている。

ドイツでも、2020年4月9日に、ゼーホーファー農務大臣が、とくにアスパラの収穫用に季節労働者を受け入れると報じられた。本来、約30万人の外国人労働者を予定していたが、フランスと同様、国境封鎖をしているので、特例を設けて列車でなく特別機で、手始めにルーマニアから8万人の外国人を受け入れる。ドイツも農業国であるが、労働賃金の面とEU域内自由化をアピールするために、外国人を採用しているのである。もちろん農業自体には、コロナの影響はないとみなされている。

イタリアも同様に37万人の農業部門の外国人労働者を必要としていたが、国境封鎖で独仏と同様な規制緩和で乗り切ろうとした。そうこうしているうちにイタリアは真っ先に国境封鎖を解き、EU各国もしだいにその方向を目指すようになった。

ただし、日本では2019年度、外国人技能実習生は約19万人来日していたが、今年は入国の見通しが立たず、当局や農家は人材確保に躍起になっている。収穫期を迎えた野菜の大量放棄も見られ、当面では、コロナ離職者の新規採用や国内の外国人技能実習生の滞在期限の延長などの対策を講じている。その意味で、人手不足の農業がコロナと無関係ではないことがわかる。

さらに、2020年5月の学校閉鎖や外食制限などの影響により、牛乳消費量の激減や特定食材の在庫増が発生し、農家は大きな打撃を受けた。しかし家庭内での食事回数が増え、家庭料理用野菜の需要が増加しているので、事態が落ち着いてくると、需要と供給の関係もしだいに見通しが立つようになってきた。

とはいえ、日本でも都会の飲食業やサービス産業は、営業自粛により壊滅的な被害を被っているのは事実である。その雇用確保が喫緊の課題になり、失業率の増加が不可避の状況に追い込まれてしまった。解決方法として話題にのぼっているのは、農業の構造改革である。2009年に農地法が改正され、農業の自由化が促進されるようになり、企業が農業経営に参入しはじめた。農林水産省が就労支援をしたり、JAや役所と連携して取り組み、また県単位でも独自の求人をおこなったりして、第一次産業への回帰を目指している。安易に外国人に頼る農業から、食糧自給率を向上させる産業への転換が今後の大きな課題である。

日本の食糧自給率

日本の食糧は、江戸時代には鎖国のため、自国で100％を賄ってきた。もちろん、飢饉がくれば餓死もありえたが、開墾や農業の工夫によってなんとか乗り切ってきた。しかし、明治時代以降に欧米に追従し、産業革命を起こし工業立国を目指すようになった。その後、農村から都会へ人口が移動し、農地の縮小や環境破壊などが進み、産業構造が変化してきた。こうして農業生産国から工業製品の製造・輸出国へと大転換を果たした。

その結果、高度成長期には工業製品の輸出によって、バーター取引のように農産物を輸入し、世界各地から輸入された農産物が市場にあふれ、飽食時代を謳歌していた。しかし、近年の農業の軽視は、結局、食糧自給率の低下を招いてきた。図3－6は1960年代以降の食糧自給率（カロリーベース）の年次経過を示すものであり、直近では37％に達している。これでは食糧の輸入が滞ったり、高騰したりすると、きわめて由々しき事態に陥るのは誰の目にもわかる。

ちなみに、各国の食糧自給率もグラフで確認しておこう（図3－7）。これを見れば、従来の農業国、工業国という単純分類はできないとはいえ、カナダ、オーストラリア、アメリカ、フランス、ドイツ、スペインなどは、万一の場合、食糧は自前で賄えるという国づくりをしていることがわかる。とくにヨーロッパでは、歴史的に隣国と戦争を繰り返したので、有事の場合に備えて食糧問題は、戦略のひとつであったという背景もある。

川島博之氏の『「食糧自給率」の罠』（朝日新聞出版：出版当時、著者は東京大学大学院農学生命科学研究科准教授）によれば、カロリーベースの食糧危機説は食糧メジャー産業にあおられて

図３－６　日本の食糧自給率（カロリーベース）の推移

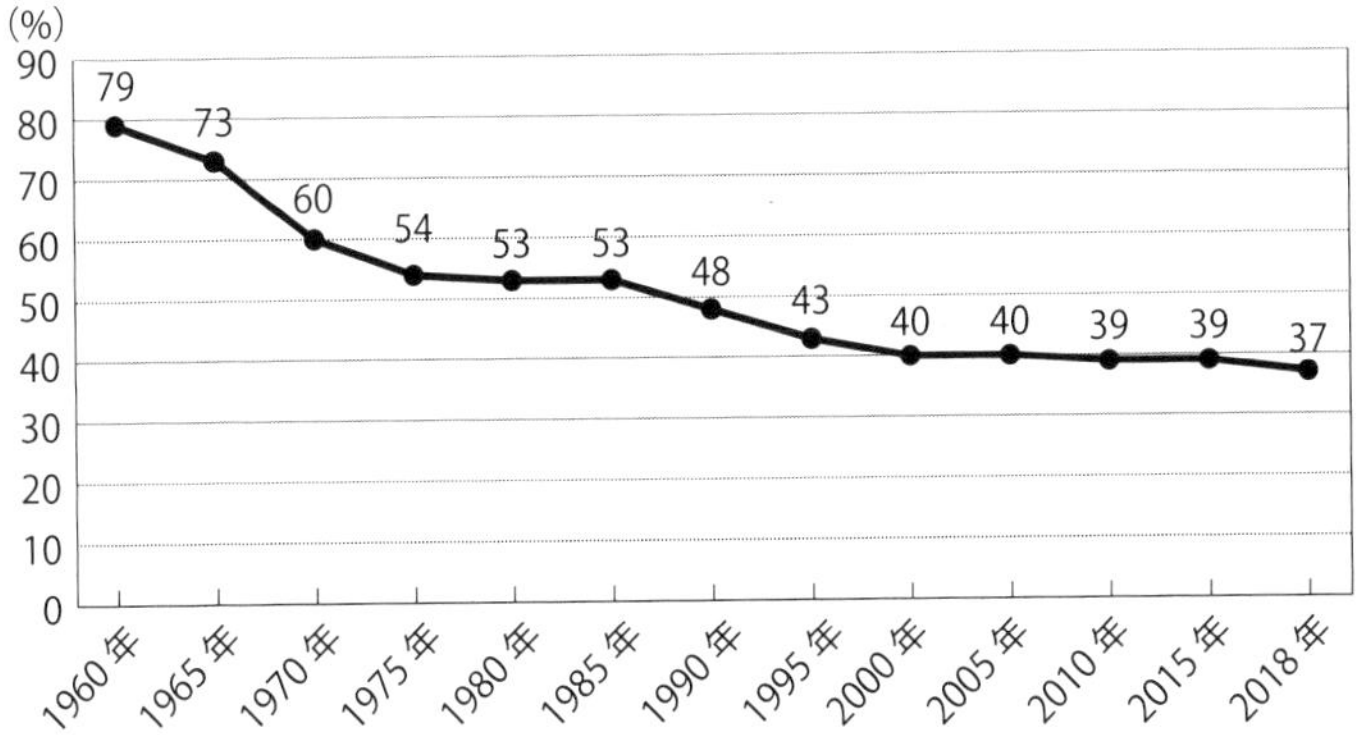

図３－７　各主要各国の食糧自給率

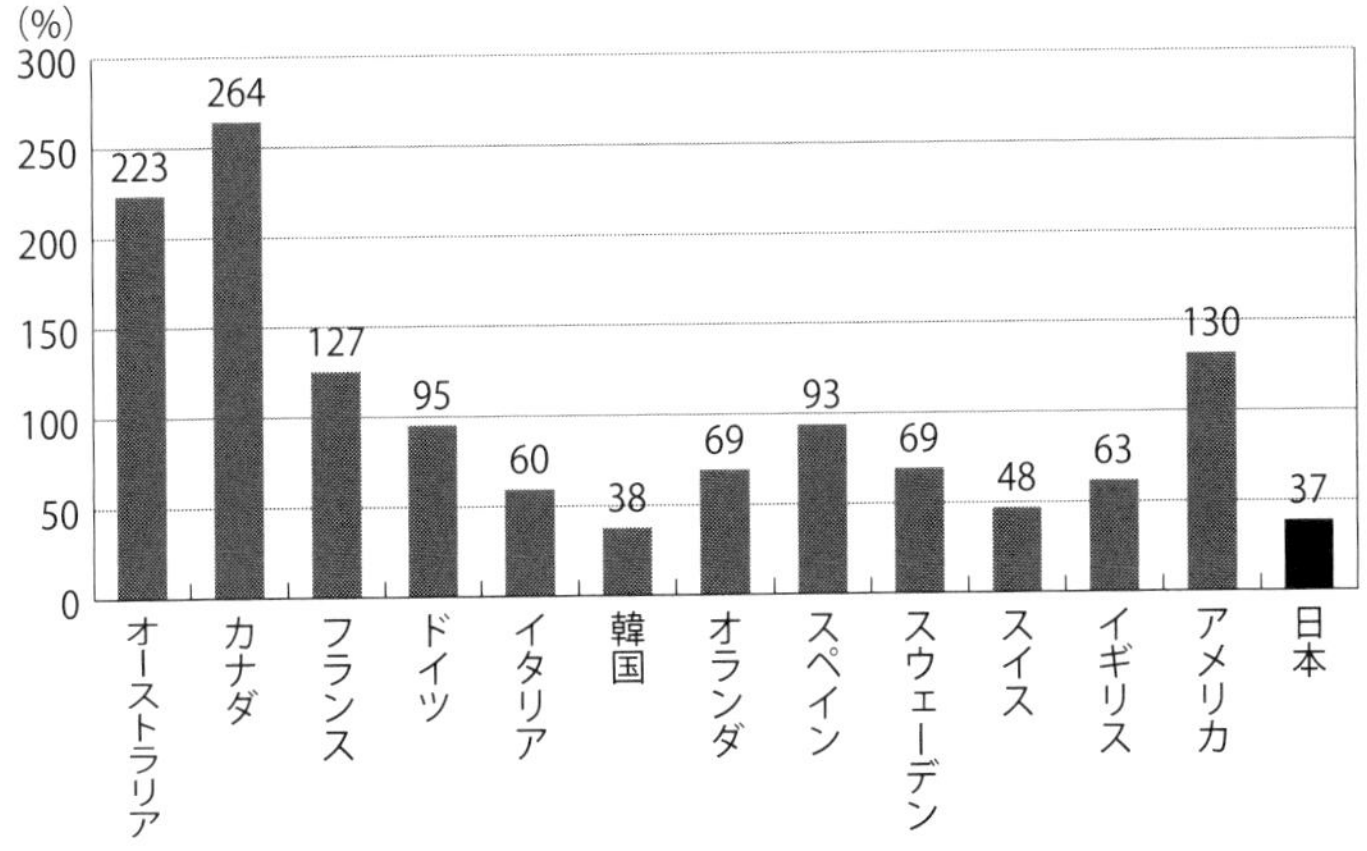

出典：農林水産省「食料需給表」等。日本は2018年度、韓国は2017年、スイスは2016年、それ以外の国は2013年。

流布しているが、食糧危機は生じない。オランダの実例が示すように、野菜や畜産に注力し、シェアを分担することによって現状を打開すべきであると説いている。一般論としては、カロリーベースという基準が、輸入穀物による国産畜産肉を自給率に算入しないのでおかしいという議論もある。

しかし世界の発展途上国で、現実に食糧危機が生じているのは事実である。それは貧困に起因するが、紛争や戦争によって分配のアンバランスも発生している。むしろ食糧問題は、家畜に大量の穀物を与え、促成によって肉を生産したり、飽食によって食品ロスを生み出したりしている先進国に内在しているといえよう。

たしかに現在、食糧危機は顕在化しているわけではない。しかし、マスクやトイレットペーパーの事例が典型的に示すように、本来、需要と供給の関係のバランスがとれていたにもかかわらず、現実には流言飛語や疑心暗鬼によって一瞬のうちに、店舗の棚からこれらが姿を消すこともありえる。現在の日本においても、コロナ禍の影響で保存の利くコメ、インスタント食品などを備蓄する人もいる。需要と供給のアンバランスは、風評によっても一気に起こる可能性があるからだ。

このように市場原理にもとづいて売買されている食糧でも、有事になれば別のメカニズムが作用する。食糧は人間の生活の根源であるので、巨大資本が買い占めや投機をおこなう可能性がある。事実、国連食糧農業機関（ＦＡＯ）と世界保健機関（ＷＨＯ）、世界貿易機関（ＷＴＯ）は２０２０年４月１日に、コロナ騒動をきっかけに世界食糧危機が発生する恐れがあることを警告した（ＡＦＰ時事）。各国の都市ロックダウンの影響で食料品の買い占めや暴動などがみられ、食料品の不足が懸念されるからである。

6　バッタの襲来と食糧危機

ヨーロッパ史における害虫の大量発生

ヨーロッパにおいても、周期的に害虫、昆虫、イナゴ、カタツムリの大量発生が起きてきた。これらは穀物、野菜、果物に大被害をもたらし、農民にとっては死活問題である。原因は現代の科学からすれば、異常気象や生態系の異変から派生しているといえるが、当時の人びとは、これを得体の知れない悪魔の仕業と解釈した。時に、奇妙なことにそれをキリスト教社会への挑発と考え、裁判方式で裁こうとしたこともある。ここにはキリスト教が中心の世界観の典型例がみられる。

人間に被害を与えたのが家畜やイヌ、ネコなどの動物の場合、被告としての動物を法廷に連行できたが、それと異なり、大量発生した昆虫、ネズミ、モグラなどの小動物の場合、裁判じたいが困難であった。そのために昆虫裁判では、苦肉の策として昆虫の代理人を立て、破門という所作をおこなったが、これが記録にあらわれてくるのは15世紀からである。

１４７８〜１４７９年にかけて、スイスのベルンで地虫が大量発生した。すでに虫の卵はコガネムシに孵化し、あたりを飛び回っていた。当局は手の打ちどころがなく、困り果ててローザンヌの司教、ベネディクト・フォン・モントフェルラント（モンフェラン）をベルンに招聘し、昆虫を神の力によって排除しようとした。司教は昆虫に対して「6日以内に当地を退去すべし、もしそうでないなら6日後の午後1時にローザンヌの法廷に出頭すべし」という宣告をした。いうまでもなく、虫は荒れ狂って聞く耳をもたなかった。司教は虫の法廷代理人の弁護陳述と証人の証言を聞いたあと、三位一体の神の名において、虫に破門宣告を下した。

たとえば、1516年にフランスのトロワでイナゴが大量発生し、ブドウ畑の所有者が訴訟を起こした。その際、原告とともに被告に弁護人が付けられ、人間の訴訟と同様な裁判がおこなわれた。判決では、一週間以内に退去しないと破門するという宣告が下された。結末については定かではないが、大真面目に裁いた経緯が判決文に残っている。

いうまでもなく、このような動物と人間のトラブルは、たえず人間と自然との関係によって発生している。中世の12世紀ころから、人びとは森を開墾し、農場や都市をつくったので、生態系の変化が生じ、昆虫のみならず、動物界のバランスが大きく崩れてしまった背景もある。このような生態系の変化が、直接的に動物裁判の増加につながったと分析されている。

すでに述べたように、中世ヨーロッパではペストが波状的に襲ったが、この原因は森の開墾によってキツネが減少した結果、天敵のいなくなったネズミが大量発生し、それがペスト菌を蔓延させたからという説が有力である。たしかに中世では、深刻な飢饉や不作にみまわれたが、これらの時期と動物裁判の多発は、相互に連動していたことがわかる。

同様に、16～17世紀にも小氷河期による異常気象が生じ、この時代に魔女狩りが頻発している。人びとは当時の不安感や鬱積した心情のはけ口を、一方では危害を加えた動物たちへ、他方では非現実の魔女へ転化した。各地で集団ヒステリーが生じ、無実の魔女を処刑することによって、憂さを晴らしたのである。

要するに、教会や裁判所は、自然災害、社会不安、動物によって引き起こされた殺人事件、不可解な出来事を悪魔やデーモン、魔女のせいにした。そして、これらとの対決を裁判で示し、その勝利のかたちを公開処刑として民衆に見せつけた。キリスト教をバックボーンにした裁判制度の「合理的システム」を通じて、為政者は宗教的・政治的な体制を正当化し、揺らいだ社会秩序を回復させようとしたといえる。しかし、それは何の問題解決にもならず、キリスト教社会への不信感を生み出す原因になってしまった。

図3－8　バッタの襲来

現代のバッタの襲来

アフリカやアジアでは、虫の害としてはバッタが有名である。地球が寒冷化し、小氷河期に向かいはじめた14世紀に、中国の元の時代でも洪水、旱魃《かんばつ》、トビバッタの大群が押し寄せ、農作物に大被害をもたらした。

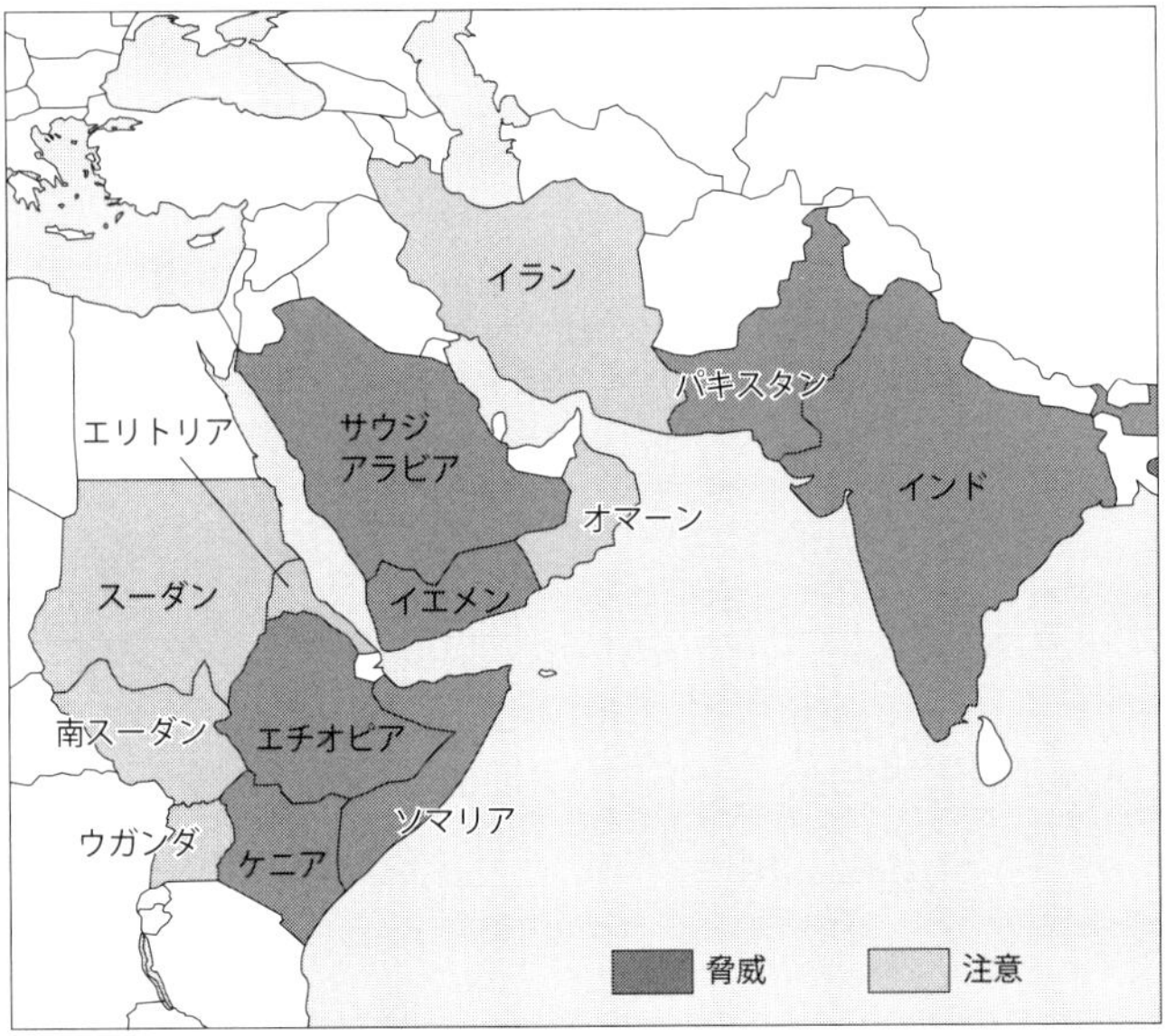

図3－9　バッタの被害の伝播

それはいわゆる蝗《こう》害（バッタの異常発生による災害）といわれた。

しかし、現在においても感染症だけでなく、蝗害は各地でみられる。なかでも有名なものは、パキスタンへ大量のバッタが飛来し、農作物に大きな被害を与えた報告である（2020年3月8日：AFP時事、図3－9参照）。現在、これが直接的な食糧危機を到来させているわけではないが、そのきっかけになる可能性があるので看過できない。

報告されている蝗害は、2019年夏ごろからアフリカ東部で大量発生をしたものが移動したと考えられている。バッタがヒマラヤを迂回して中国へ移動するなら、作物の収穫に多大な影響が出ることが見込まれる。これはウイルスではないが、その原因は自然環境の悪化と密接にかかわっているので、コロナ禍と類似している。この蝗害も世界の穀物相場に影響を与えることが予想されるからである。

バッタの異常発生の原因について、千葉大学の神里達博教授は、インド洋のサイクロンの増加とのかかわりから、以下のような興味深い記事を書いている（2020年3月20日「朝日新聞朝刊」）。

2018年はアラビア半島に珍しく二つのサイクロンが襲来、バッタは9カ月で8000倍に増えたらしい。悪いことに2019年も、インド洋で多くのサイクロンが発生したため、さらに増え、被害が拡大したのである。サイクロンの発生回数の増加も、やはり地球温暖化との関係が指摘されている。……コロナにもバッタにも、科学的に理解できないことは、特段、起きていない。同時に、いずれの問題も、その原因を根本まで遡《さかのぼ》れば、人類による過度な自然改造というところに行き着くはずだ。

バッタの大量発生とコロナは直接関係がないようであるが、生態系という視点からは共通点をもっている。危惧される食糧問題とのかかわりでいえば、コロナの蔓延によって、実際に中国やシンガポールなどは、局地的にコメなどの食糧が店頭から消え、マスクと同じ状況が生まれている。それは一時的な現象であるが、これに貧困や飢餓の背景が加われば、事態は楽観を許さない。投機ファンドが金儲けのために倫理観を欠いた決断をすれば、その被害は世界の低所得者層に拡大していくことになる。

さらに風評被害が重なると食糧の備蓄パニックが発生し、別の人間心理が作用する。日本でなくとも、独裁的な国家の場合、とくに感染症がきっかけになって食糧危機が訪れ、戦争や暴動が発生したのは、かつて中国、中近東、ヨーロッパの歴史が証明するところである。政府が納得できる対応をしなかった場合、非常事態による政権崩壊も起こりうる。それは世界を巻き込み、大暴動を引き起こす引き金になるからである。

7 生態系、環境破壊と感染症の連鎖

生態系と感染症

感染症の発生や伝染は自然の生態系と密接にかかわっていることは、すでにこれまでいわれてきた。この問題を文明論から解き起こすと、太古の人間の歴史にまでさかのぼらなければならないが、われわれは、中世のペスト蔓延時の環境破壊とのかかわりを確認できる。たとえばヨーロッパでペストが蔓延したのは、中世の12～13世紀に、ヨーロッパ各地で森林を伐採、開墾したために、生態系の変化が生じたことが挙げられる。

すなわち、森林等の土地から農地や都市へ転換していくと、キツネの生息地が少なくなる。野原には天敵のキツネがいなくなるので、ネズミが繁殖する。これがペストの蔓延時に腺ペ

ストや肺ペストの病原菌を媒介する役割を果たしたというのである。しかし日本は当時、森林、里山、ネズミ、キツネ、ふくろうなどの食物連鎖が機能し、ネズミを退治することができた。日本の自然環境が維持されていたから、ペスト禍を免れたという説がある（安田喜憲『森のこころと文明』ＮＨＫライブラリー）。

近代において環境破壊は世界各地で進展し、それとともに多様な感染症もグローバル化している。その意味で、地球規模の生態系や環境破壊と感染症の関係が重要となってくる。とりわけ人間の居住地域の拡大が、感染症との出会いを生み出し、エイズやエボラ出血熱などのように人間に大きな災禍を与えるようになったことは、よく事例として挙げられる。

たとえば、化学肥料農業は、微生物を重視するオーガニック農業に比べて、農地を荒廃させる。とくに深刻なのは、熱帯雨林の伐採や火災炎上によって生態系が変化し、地球全体の温暖化を招いていることである。その結果、熱帯固有の風土病であった感染症のウイルスの生存範囲が広がり、蔓延するきっかけを与えている。環境省のホームページには、「温暖化のもたらす地域ごとの健康影響の特徴」がまとめられている（１９１ページ参照）。

今日では、環境問題がたえずニュースになり、地球温暖化、エルニーニョ（太平洋赤道域の海水温度上昇）現象、ラニーニャ（同海域の海水温度下降）現象、オゾン層の破壊、アルプスの氷河の溶解、草原の砂漠化、北極海の氷の縮小、海に沈む国、高温、洪水を引き起こす異常気象などが、日常的に話題になっている。この根底にあるのは、人為的な自然破壊や森林の減少にあるといえる。

地球温暖化は生態系の変化を引き起こし、人間や動物、植物だけでなく、ウイルスなどの感染症にも影響をおよぼしていることがわかる。地球環境の維持は大きなテーマであり、多くのアプローチがある。感染症を防ぐひとつの方法としては、温暖化の要因であるCO2排出を抑えることが喫緊の課題である。そのかかわりから、ここで、世界的課題となっているCO2削減の問題の具体的対策例を採りあげよう。

8　世界のCO2排出規制

地球温暖化防止

地球温暖化防止が急務であるという危機感が、先進20カ国サミットの議題にもなり、国を越え、広く認識されるようになってきた。しかし、それでも各国の認識の温度差は大きく、とくにアメリカのトランプ大統領は、2019年11月4日にCO2規制を謳った「パリ協定」(2015年採択、2050年以降、温室効果ガスをゼロにする目標)からの離脱を発表した(発効は一年後)。資本主義や消費を抑制してしまうおそれがあるからだ。トランプ政権は、環境問題が経済発展の妨げになると主張し、現行体制を堅持しようとしている。

ヨーロッパでエコロジーに対して前向きに取り組む国が多いのは、1970年代の酸性雨によって国境を越えた森林被害、河川の汚染、大気汚染によって、深刻な環境問題を経験してきたからである。とりわけ、森をこころの故郷とするヨーロッパ人にとって、白骨林の無残な

「温暖化のもたらす地域ごとの健康影響の特徴」

（環境省のホームページより）

アフリカ	○ 気温が上昇すると、感染症の媒介動物の生息域が拡大する。 ○ 衛生インフラが不十分な場所では、干ばつ・洪水により水媒介性感染症の頻度が増加する。 ○ 降雨が増加するとリフトバレー熱がより頻繁に発生する。 ○ 都市の不衛生、沿岸域の水温上昇はコレラの流行を促進する可能性がある。
アジア	○ 気温と降水量の変化は、動物媒介性感染症を温帯アジア、乾燥アジアに広める可能性がある。 ○ コレラ、ジアルジア、サルモネラなどの下痢を伴う水媒介性感染症は南アジアの国々でより一般的になる。
オーストラリア・ニュージーランド	○ 一部の感染症媒介動物生息域の拡大。現在の動物に対する安全対策や健康サービスにもかかわらず、蚊媒介性のロスリバー熱やマレーバレー脳炎のような感染症が発生する可能性が増加する。
ヨーロッパ	○ 熱への曝露の増加、一部の動物媒介性感染症の拡大、沿岸・河岸の洪水が増加することにより、健康リスクが高まる。
中米	○ 物媒介性感染症の地理的分布は極方向、高地に拡大し、マラリア、デング熱、コレラのような感染症のリスクが増大する。 ○ エルニーニョはブラジル、ペルーなどで感染症媒介動物数や水媒介性感染症の発生に影響を及ぼす。
北米	○ マラリア、デング熱などの動物媒介性感染症は、米国内では発生地域が拡大し、カナダに広がる可能性がある。 ○ ダニが媒介するライム病もカナダに広がる可能性がある。
小島嶼国	○ 多くの熱帯の島々ではエルニーニョ、干ばつ、洪水に関連する気温や降水量変化に起因する動物および水媒介性感染症の頻繁な発生を経験している。

図３－10　各国ならびに世界全体の人為起源二酸化炭素排出量の推移

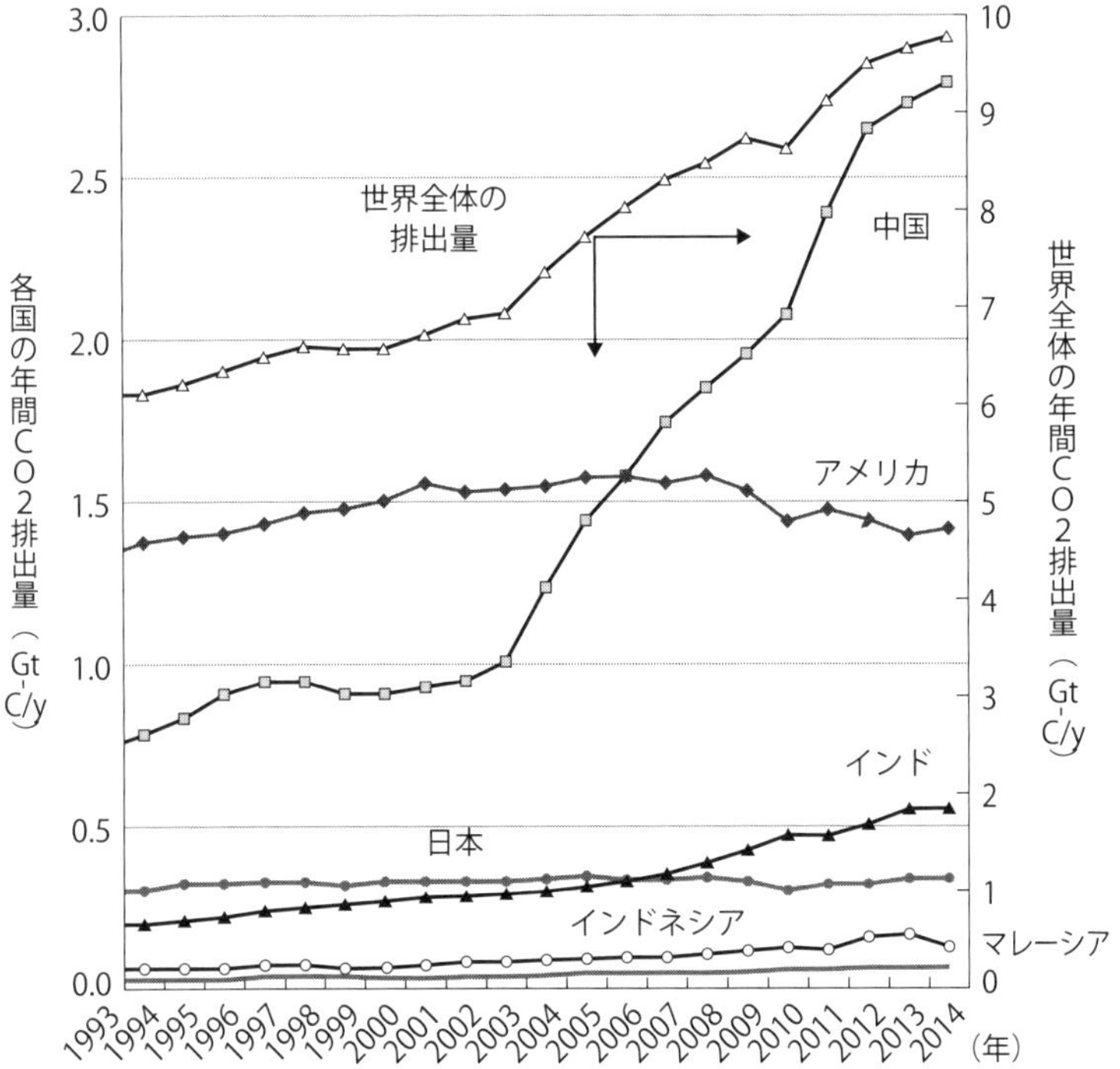

出典：国立環境研究所

光景は、大きな危機感を生み出した。さらに１９８６年のチェルノブイリ原発事故は、原子力に対する不信感を増大させた。酸性雨や原発事故は、一国だけでなく国境を越えた広がりをもつ問題であることも、ヨーロッパの共通認識になった。

時代は大きな転換期にさしかかっていることがわかる。多くの先進国はその抑制が地球的規模からして必要であると認識している（図３－10）。ところが、発展途上国は先進国の犠牲のうちに、現在の位置に置かれているのであって、ある一定の発展を遂げるまで環境規制をするべきではないというスタンスに立つ。その調停のために、先進国が発展途上国からＣＯ２排出権を買い取るという発想によるパリ協定も批准された。買い取りは国家単位だけでなく、企業間にも拡大されている。

それは次善の策として現実的な方法であると考えられる。というのは、南北問題の解決方法のひとつでもあり、先進国のＣＯ２削減の技術的なノウハウを発展途上国に導入することによって、結果的に地球全体のＣＯ２削減に寄与することにもなるからである。とはいっても、地球全体の環境悪化は待ったなしの状態にあるので、その調整が今後の外交や環境行政の大きな課題となっている。

未来のロードマップ

当然、これは日本の問題でもあるので、すでに環境省は日本のＣＯ２排出量の規制をおこない、削減のロードマップを作っている（図３－11）。もちろんこれは大切なことであるが、問題はその実効性である。世界のトレンドは風力、太陽光、水力などの自然エネルギーへの転換にあることは、以下で述べる各国のエネルギー事情で確認するが、日本ではまだ原発問題という課題を抱えたままである。

原発は、近代科学の粋を集めた技術といわれたことがあった。現在、世界的には、推進しよ

図3－11　日本のCO_2排出量の長期削減イメージ

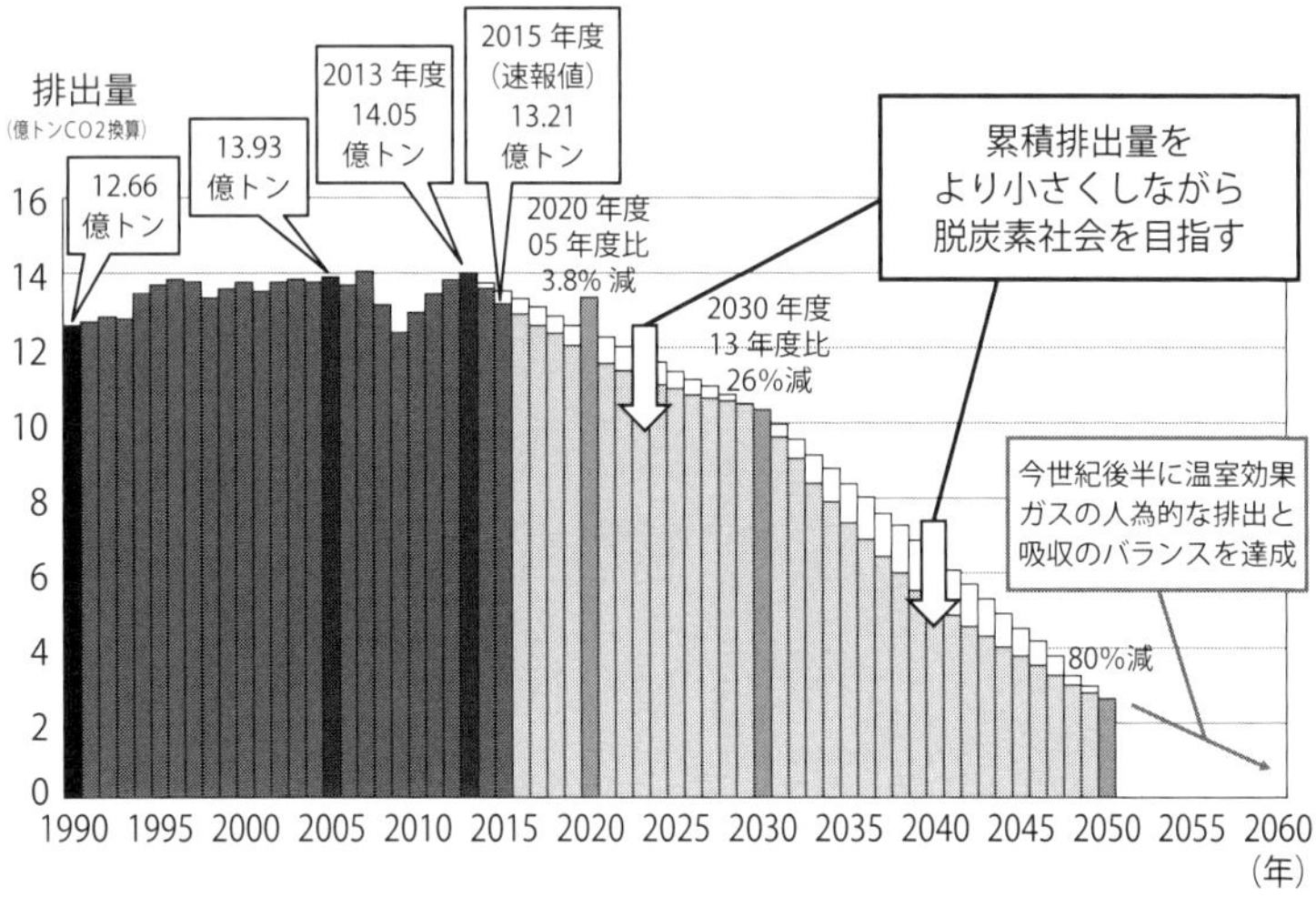

出典：環境省

うとする国々と廃止を目指す国々に分かれる。すなわちアメリカ、中国、ロシアなどは推進派であり、廃止ないし脱原発を目指しているのは、イタリア、スイス、ドイツ、台湾などである。

かつて、原発はＣＯ２削減に効果的なエネルギー源であると、推進派は主張した。たしかに化石燃料と比べるとそれは根拠のある見解である。しかし、原発の燃料であるウラン精製の電力などを考えると、単純な計算だけではすまない。また地震国といわれる日本の場合、いったん事故が起きれば、壊滅的な自然の汚染が長期間続くので、フクシマの事故を目の当たりにすると、リスクの方が恐ろしい。

その延長線上において、これだけ多数の原発が建設されている現状では、これからは解体技術が重要になってくる。原発分野にはかつて優秀な人材が集まり、日本も世界の原発開発をリードしてきたのは事実である。政府も輸出産業の柱とした時代もあったが、フクシマの事故以来、皮肉なことに廃炉・解体が重要な産業になってきた。

もっとも困難な仕事は、フクシマの事故を起こした原発の解体とその汚染水の処理である。東電の工程表では2050年までかかるとされている。たとえが適切でないかもしれないが、デブリは黙示録のサタンのようである。荒れ狂い容赦しない魔物に例えられる。

現在は、優秀な人材が原発だけでなく、各企業の第一線で現役として働いている。その知識を駆使して、解体のノウハウを蓄積しなければならない。とくに困難なのは事故を起こしたフクシマのデブリを除去する技術であって、今でもまだ試行錯誤の段階である。いずれにせよ、原発をこのまま放置することはできないため、21世紀には解体技術が不可欠な産業となるはずである。

9　再生可能エネルギーへ

ドイツのエネルギー源

次に、CO2削減の切り札ともいえる再生可能エネルギーについて、熱心に取り組んできたドイツを例に、現状を確認しておこう。図3－12の円グラフは、2019年4月の発電エネル

図 3 − 12 ドイツの発電エネルギー源（2019 年 4 月）

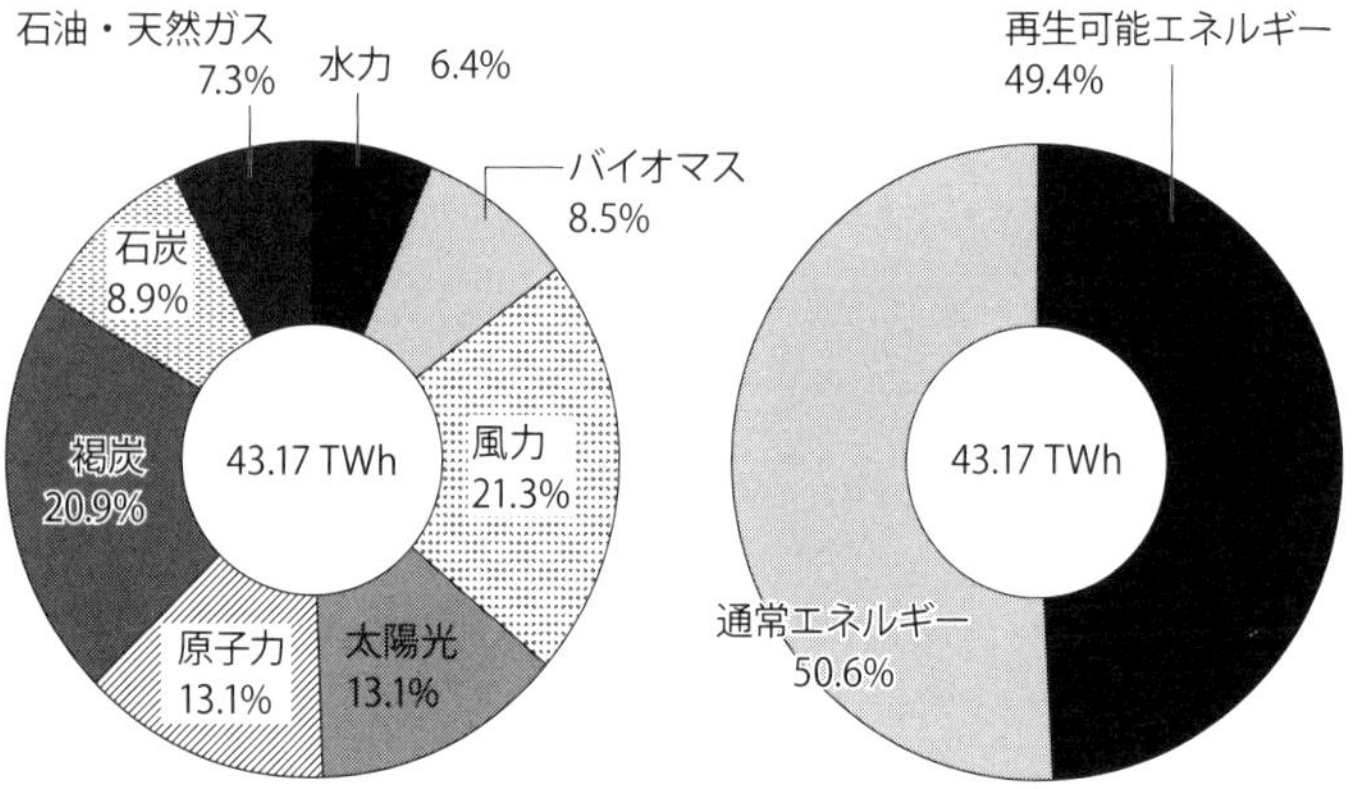

出所：Fraunhofer ISE

図 3 − 13　世界のトレンドとなった風力発電

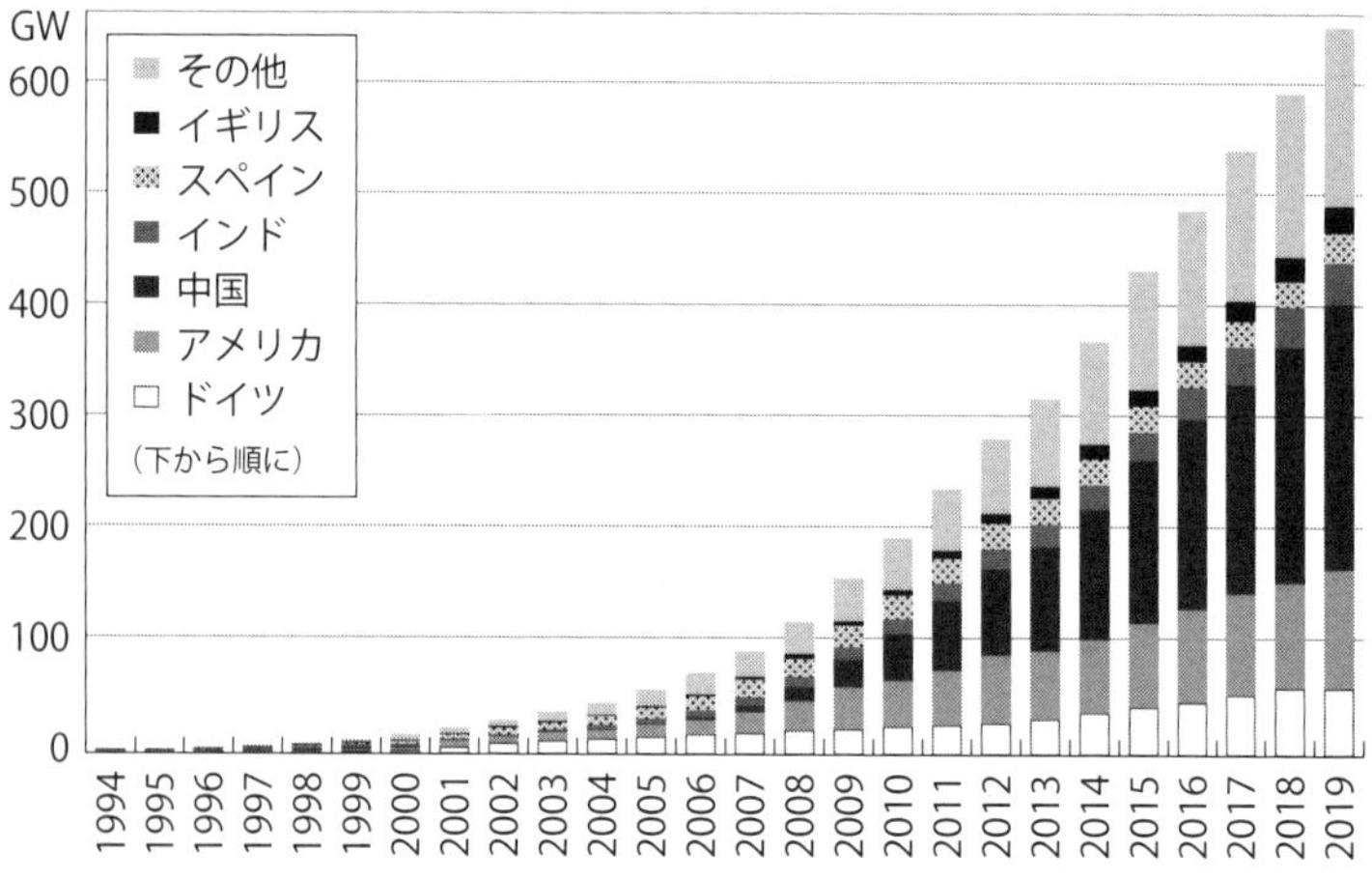

出所：www.volker-quacchning.de をもとに作成

図３－14　ドイツの発電エネルギー源の年次別シェア

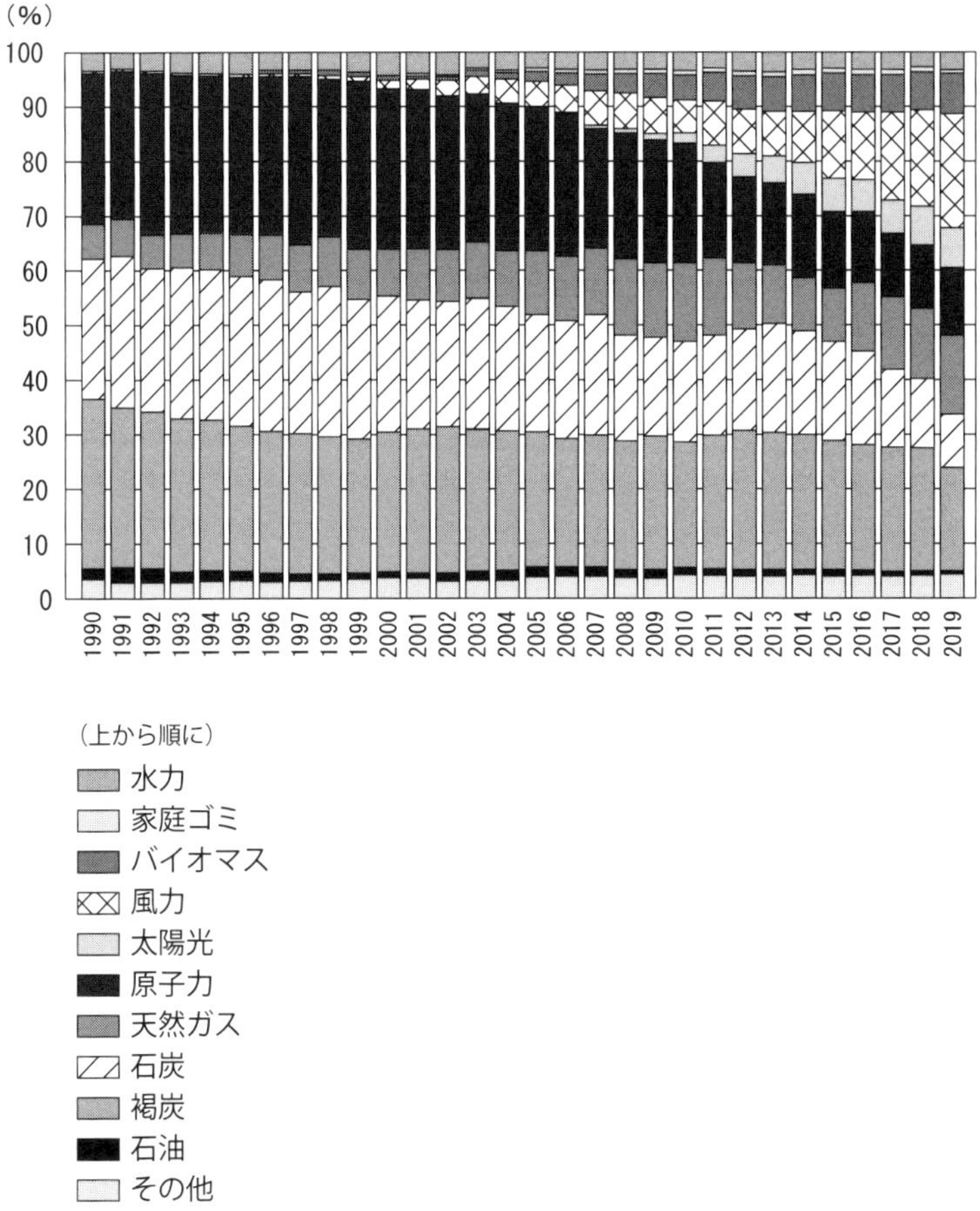

ギー源のシェアであるが、風力発電がトップを占め21・3％、褐炭が20・9％、稼働中の原発と太陽光が同じ13・1％、石炭が8・9％、石油・天然ガスが7・3％と続く。再生可能エネルギーは、風力21・3％、太陽光13・1％、バイオマス8・5％、水力6・4％、合計は49・4％となっている。このうち従来型エネルギーの褐炭は、CO2を排出するので環境団体から批判にさらされている。これについては、純国産で発電コストが安いので、急速に減らせないという事情もある。

すでに、ドイツでは1991年の電力供給法と2001年の再生エネルギー法によって、再生エネルギーの基本方針が定められてきた。そこでは、再生可能エネルギーの「固定買い取り制度」によって、脱原発とCO2排出削減を促進させることが謳われている。2020年には35％、2050年には80％という再生可能エネルギー目標値を設定したが、2019年4月の段階ですでに49・4％となり、一時的という限定付きであるものの、目標値を軽く上回った。現在でも「緑の党」の伝統があるドイツは、反原発だけでなく、化石燃料依存に反対するデモもおこなわれ、CO2排出枠を2050年までに1990年比で80～95％削減する目標を掲げている。

なお、再生可能エネルギーのうち、風力発電についてもう少し詳しく見ておこう。ドイツでは、列車の窓からも発電用風車が林立する光景によく出くわす。大西洋に面した西ヨーロッパのスペイン、北海に面したオランダ、デンマークなども風力発電に熱心な国々であるが、この地域は、大西洋岸からたえず偏西風が吹き、昔から風車による製粉が盛んであった。風力発電はその風車の伝統を受け継いだものであることがわかる。

　ただし、風力発電は騒音、建設時の自然破壊、渡り鳥の被害などに配慮しなければならない。とくに、発電地域と大きな電力需要のある工業地域が離れているので、長距離の送電線建設の際に、電磁波被害を想定した反対運動が起こったり、また自然保護団体から風力発電の見直しを要求されたりもする。この点に折り合いをつけながら、ドイツでは大規模な洋上ウインドファームを建設し、今後は海上発電へシフトしている。

　風力発電の増加は、ドイツだけの現象ではない。世界規模で確認すれば、図3－13の表のようになる。現在、世界のGDPの1位2位を争うアメリカと中国のうち、後者の伸びは驚異的である。なお、日本は原発にこだわり、風力発電への転換には至っていない（図3－18参照）。

　ここで、1990年から直近の2019年にかけての、ドイツの発電エネルギー源の年次別推移表を見ておこう（図3－14）。原発はかつて基幹エネルギー源のひとつであったが、フクシマの原発事故以降、シェアを下げている。同様に化石燃料のうち石炭は減少傾向にあるが、褐炭は横ばいである。それに対して再生可能エネルギーは、風力、バイオマス、太陽光とも増加しているが、なかでも風力の伸びが著しい。

　バイオマスには、畜産農家から出る家畜糞尿や有機廃棄物を用いるものと、木質系の二種類がある。たしかに、比較的小規模の発電であるとはいえ、天候に左右されずに発電可能で、地産地消型という侮れない長所もある。CO_2削減に寄与し、環境にやさしい発電方法といえる。

ヨーロッパの電力の輸出入

さて、ヨーロッパの発電の特徴は、国境を越え、EU同士間だけでなく、ユーロ圏以外でも、さらに島国（イギリスなど）でも、電力の輸出入をしていることだ。これはヨーロッパ全体がひとつの経済圏を構成していることを意味する。電力を輸出入する前提となったのは、送電線が発電会社から完全に独立していること、長距離送電ロスを減らすために高圧直流方法を開発したことが挙げられる。

その結果、脱原発という決断も容易であり、万一、電力が不足しても、他国から緊急購入することが可能となった。たしかに、風力発電や太陽光発電は、天候や日照時間の変動に左右される不安定な電源である。他国間の電力の輸出入の制度があるから、総合的に再生可能エネルギーに転換し易い状況が生み出されているといえよう。年々、ヨーロッパ各国の電力の輸出入は増加している。この状況は蓄電技術の大幅な向上がない限り、当分は続くであろう。

図3－15に示したのは、ドイツを中心にした取引の状況である。トータルで電力輸出国であるドイツは、2019年1月には72億キロワット時（億kwh：以下、数字は同じ）の余剰電力という最高記録を打ち立てた。最大の輸出先はスイスの2・0、続いてオーストリアに1・6、オランダに1・1、ポーランドに0・75、チェコに0・53、デンマークに0・44を輸出している。

ヨーロッパの場合、冷戦終結、ドイツの再統一と東西の壁撤去などにより、安全保障問題がある程度解決してきたので、電力の輸出入が容易になったといえる。この問題に関しては、ドイツ対ロシアにおける天然ガスのパイプラインのエネルギー問題が政治化する程度である。ひ

図３－15　ドイツないしヨーロッパの電力輸出の状況（2019 年１月）

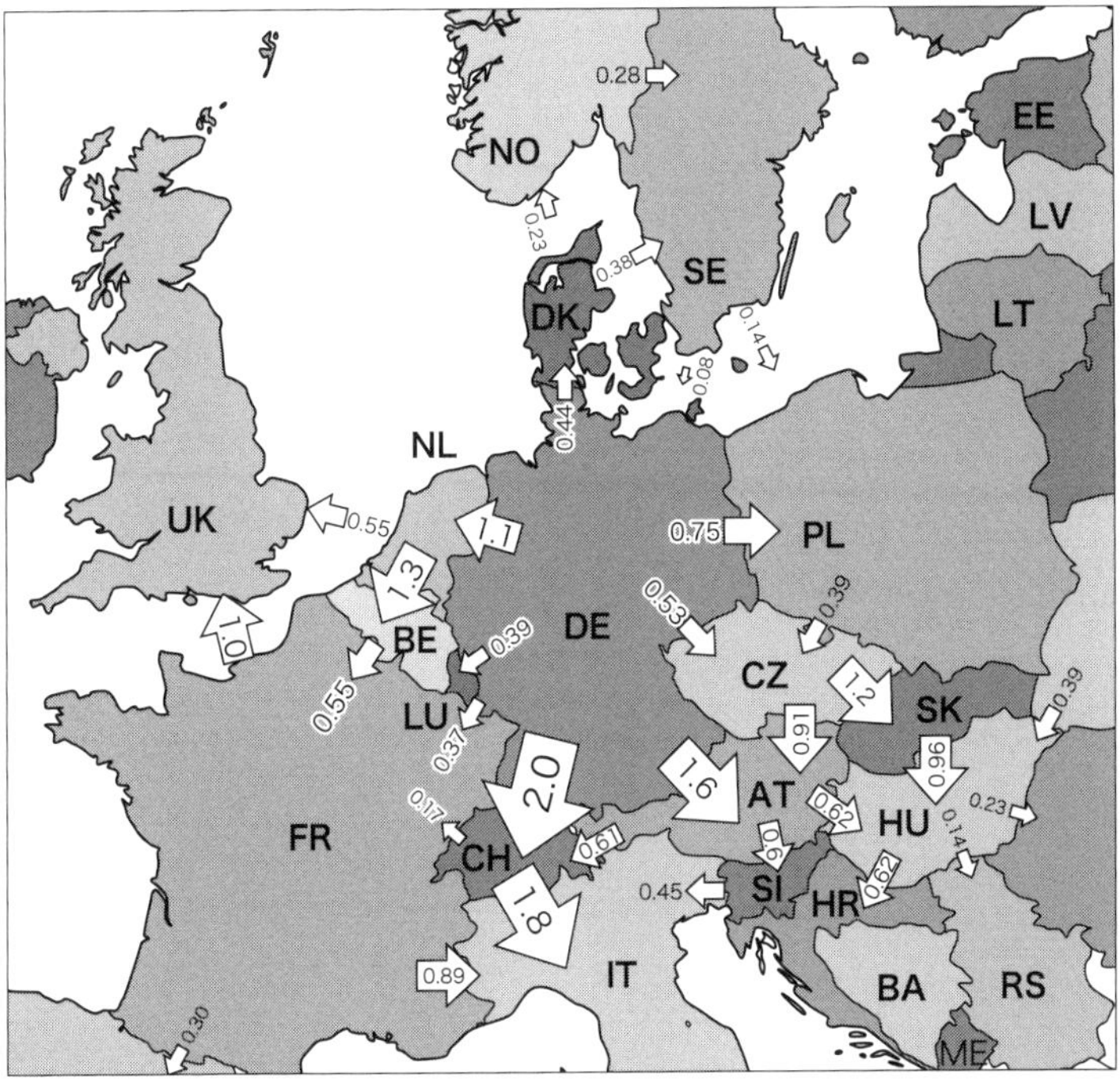

（単位テラワット時＝ 10 億キロワット時）出所：Fraunhofer ISE-Energie Chart

AT：オーストリア
BE：ベルギー
CH：スイス
CZ：チェコ
DE：ドイツ
DK：デンマーク
FR：フランス
HR：クロアチア
HU：ハンガリー
IT：イタリア
LU：ルクセンブルク
NL：オランダ
NO：ノルウェー
PL：ポーランド
SE：スウェーデン
SI：スロベニア
SK：スロバキア
UK：イギリス

るがえって、東アジア諸国間の電力輸出入の構想については、政治体制の違いによって、安全保障の問題、さらに送電線建設費の負担問題などがあるので、実現の可能性はほとんどない。現在、日本は電力会社間の広域連携を図っている段階であるといえる。

10　EV（電気自動車）戦国時代

注目を浴びるEV

現在、EV（電気自動車）に大きな関心が集まっている。人びとはガソリンあるいはディーゼル車が早晩、時代遅れのエンジンになることを予測しているからだ。EVはCO2削減が見込めることに加え、車の維持費が安くなるという経済的なメリットが大きい。また、電気自動車を制する国は世界の経済を制し、さらに石油依存の体制から脱却できることも重視されている。

現在の石油社会では、アラブの国々に莫大なオイルマネーが集まり、わが世の春を謳歌している。意図的に石油生産量を増やさず、価格をコントロールしているふしが見受けられる（コロナの影響で石油消費量の減少という、多少のしっぺ返しを受けているが）。他方で、石油や天然ガス資源をもつロシアは、資源を政治がらみの取引に使う。

今後は、産油国が世界の経済を牛耳る時代が過去のことになるかもしれず、EVがいまや自動車メーカーだけでなく、国家レベルでも戦略的意味をもっている。図3－16に世界のEVランキング（年間販売台数）の20位までを挙げておこう。

図３－16　世界のEVランキング（2019）

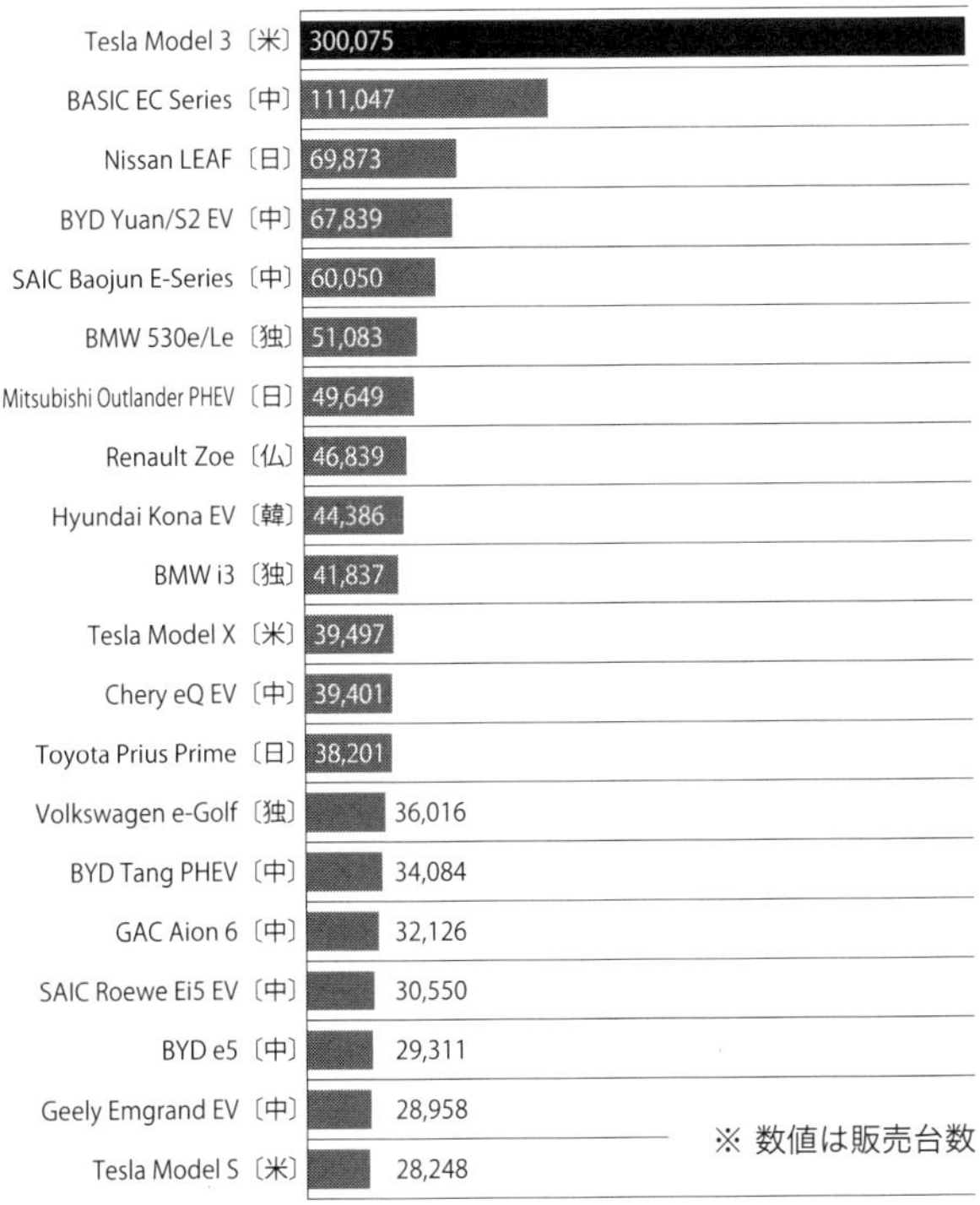

２０１９年の世界のＥＶ販売順位を見ると、ここではメーカー別の集計であるが、国別ではトータルで中国、アメリカ、日本、ドイツという順になる。この分野における中国の伸長は目覚ましく、自国だけでも巨大な市場をもつという強みもある。また、アメリカのＥＶ「テスラ３」は一時期、生産が間に合わないほど人気を博したという。日本では、ハイブリッド車とＥＶ車

にシフトしているのはご承知のとおりである。この表では明確ではないが、世界の主流はEVであるといえる。ドイツはEVにシフトをするのが遅れたが、現在、懸命に巻き返しを図っている段階である。

ガソリン・ディーゼル車の禁止

このような状況のなかで、ヨーロッパでも環境政策から、EV車へとシフトチェンジする国が増えている。たとえば、ノルウェーでは2025年からガソリン・ディーゼル車の販売禁止が内閣で決議され、ドイツでは2030年という期限で同様な決議案がドイツ連邦議会で可決された。オランダ、スウェーデン、アイルランドも2030年、イギリスは2035年と、各国ともにCO_2削減を目指し同調している。EVはいまや時代のトレンドといえよう。ヨーロッパではハイブリッド車を容認する国が多いが、イギリスはそれをも禁止車へ含めているのでややこしい問題も生じている。

なお、EVによるCO_2削減効果は、走行中は額面通りであるが、充電する際に、元の電力の発電プロセスを算入しなければならない。再生可能エネルギーでなく化石燃料、すなわち石油、石炭、天然ガスなどで発電する場合には、この過程でCO_2を排出しているからである。EVも再生可能エネルギー政策と連動しているのである。

ここまで述べたのは、行政の側の電気自動車（あるいはハイブリッド車）へのシフトである。続いて、輸入車を含めて、自動車王国と自負してきたドイツの自動車メーカーのEV対応の経緯も見ておきたい。

これまでもドイツはEVを製造してきたが、現時点では、EVの分野で世界をリードする立場にあるとはいえない。ガソリン・ディーゼル車に執着しているうちに、2018年のアメリカ市場で、主力のメルセデスが人気のEVテスラ3に敗退した。ポルシェの販売も同様であった。地元のヨーロッパでもアメリカのテスラ3の人気は高く、ノルウェーではこのEVが全車種の売り上げトップになった。ようやく、ダイムラー社をはじめとするドイツメーカーも地殻変動が起きていることに気づき、危機感を募らせた。そこでフォルクスワーゲン、ダイムラー、BMWの3社は連携して、EVに特化した車づくりに大転換することにした。その象徴的な出来事は、80年の歴史を誇ったフォルクスワーゲンの「ビートル」の生産終了という2019年7月10日のニュースであった。

歴史的に、ドイツには方向転換を間違った前例がある。1975年には当時のダイムラー・ベンツ社が、その翌年にはフォルクスワーゲン社がすでにEVを開発していたにもかかわらず、IT革命でドイツが乗り遅れたときと同様に、EV実用化にも前者の轍を踏んでしまった。ドイツには伝統的技術を大切にする文化があり、ガソリン車やディーゼル車にこだわり続けたことの挙句に排ガス不正にまで手を染めた。

いずれにせよドイツの自動車メーカーは、生き残りのためにEV開発に全力を挙げている。いったん方針を決めると、ドイツ人は大きな底力を発揮するので、EV戦国時代の勝者は誰か判断はまだ下せないが、2020年代半ばにはもう決着がつくであろう。

11　日本の森林と木質バイオマス

森林を有効に利用する

日本は湿潤な気候によって、世界有数の森林資源に恵まれた国であった。森林は国土の67％を占め、かつては豊かな木材保有を誇っていた。しかし現在は、地方の耕作放棄地が話題になる以上に、森林は注目されることが少なく、荒れ放題で放置されたままになっている。というのも、日本の森林資源は安い外材に押され、利用するメリットがあまりないからである。とはいえ、森林は自然環境を護る貴重な財産であって、その有効利用は喫緊の課題である。とくに、戦後植林したスギやヒノキが60年以上を過ぎ、伐採適齢期になっている。

日本の約7割を占める民有林の経営は非常に厳しいものがある。昨今は森林の所有者が林業経営だけでは生計が成り立たないので、それを本業とせず、森林組合が細々と維持している状態である。地方の高齢化により、所有を受け継いだ後継者はほとんど林業に関心を示さず、したがって相続が放棄された山林は、荒廃するに任せるという惨状である。

原因は林業システムの構造にある。原木は国有林であれ民有林であれ、市場価格によって販売される。外材も競争相手であるので、日本の原木が暴落することもある。紙の原料になるパルプなどの輸入が多く、コスト競争に勝てないのである。

ここで、ドイツの状況に目をやれば、いろいろと参考になる。森の国といわれるドイツでも、森林は南ドイツを中心に国土の30％の面積にすぎない。日本と違うのは、それでも材木需要をほぼ自国でまかなっている点である（日本の自給率は２０１８年で32・４％）。地域に定住する森林官や森林所有者が、森を管理し、森林行政の中心的役割を担っている。日本の山岳部の厳しい地形と違って、ドイツの場合はゆるやかな丘陵地が多く、植林、木の選別、間伐、伐採を合理的におこなうにあたって、作業はし易い。森林官や森林所有者の武器はＩＴであり、それを用いて、木材市場の動向を見定め、時代のニーズに対応している。現在のドイツでは、林業関連企業の売上高は、自動車産業に少しおよばないが、30兆円（２０１７年）という基幹産業に成長しており、経営的には十分成り立っているのである。

日本でも、江戸時代から治水や治山の根底に森林が位置づけられ、重要な役割を担っていた。里山は、生活の上でも、人びとと自然の共生を図ってきた。日本のかつての燃料は大部分において、里山から入手した薪と炭でまかなっていた。田舎ではほとんどの人びとが自給自足で生活をすることができた。薪や炭は燃料として炭酸ガスを出すが、漁民たちは、森林の栄養源が川を通じて海へ運ばれ、それによってプランクトンが魚を育てるという、食物連鎖を経験則から知っていた。そのため、森を大切にし、植林をして、漁業を育ててきた。現在でも、カキ養殖は森林との関係が深く、その育成が広島湾、宮城県などで地道におこなわれている。

他方、高度成長期には、急速に石油が普及し、家庭用燃料は都市ガスやプロパンガスに切り替えられた。その燃料源のほとんどが海外から輸入されるようになった。沿岸に工場群が建設され、工業廃水が漁業に甚大なダメージを与えた。里山の体系も壊れ、森林も荒廃してしまった。その結果、深刻な環境汚染を引き起こしてきた歴史は、まだ人びとの記憶に鮮明に残っている。

図3－17　日本の木材供給量と自給率の推移

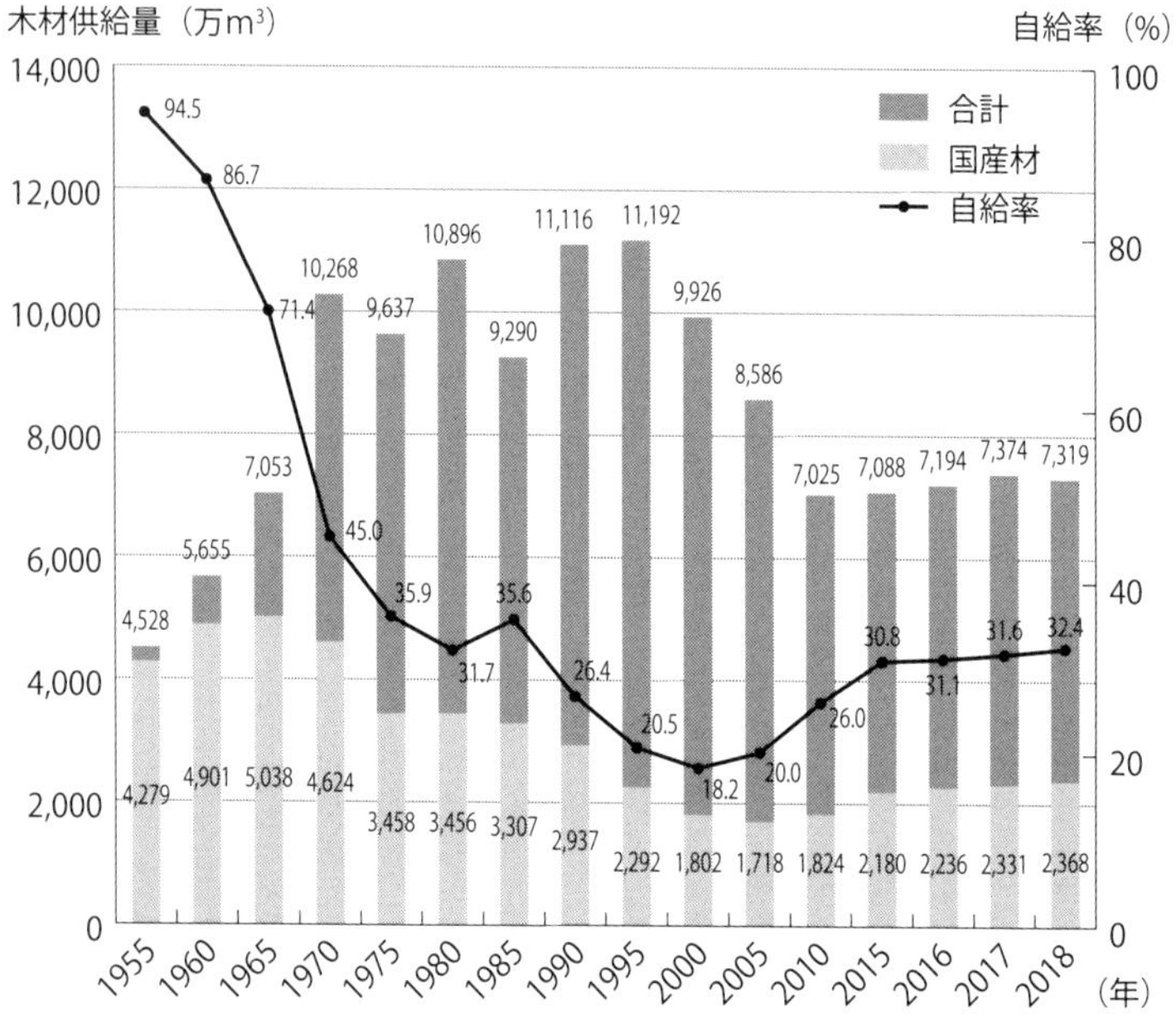

森林・林業学習館作成

CO_2は、大気中に排出されると森林が吸収するので、かつては循環型のサイクルが形成されていた。炭酸ガスの排出においても、森林はプラスマイナス0とみなされている。その意味で、とくに豊かな森林があれば、地球は温暖化しなかった。しかし、森林が減少し化石燃料の使用量が増加すると、大量の炭酸ガスを放出し、トータルでは環境に負荷を与えてしまう。その結果、「京都議定書」の後継の「パリ協定」(2015)の採択によって、日本も温暖化ガスの削減の必要性を認め、協定を順守する義務を負っている。UNEP（国連環境計画）によっても排出量が規制され、電力は風力発電、太陽光発電に代替される流れになっている。もうひとつ、木材の自給率向上と、木質バイオマス発電の普及も、森林資源の豊富な日本の場合、有望な政策であろう。

しかし、高度成長期に木材が輸入によって安価に入手できるようになると、木材自給率は急激に悪化した。それは図3－17の「日本の木材供給量と自給率の推移」のグラフを見れば理解できよう。危機感をもった政府が、2010年に「公共等建物における木材の利用の促進に関する法律」を制定すると、その後、徐々に自給率も上向きになってきた。ただし、木材全体の需要が高度成長期以降低迷しているので、多少パーセンテージが上向いたという事情もある。

バイオマス発電

バイオマス発電では、前述のように、エネルギー源が木質系と発酵型有機物系に分かれる。酪農国ドイツの場合は後者が多く、小規模の地域密着型になっているが、森林資源が豊富な日本の場合は当然、木質系が主流となる。これは24時間発電も可能なため、現在、識者には見直されている。ただし、外材を加えると計算上、国内だけのバランスが崩れ、炭酸ガスの排出量が増えるため、注意を要する。

燃料としては国産の間伐材が中心になるが、木造家屋の廃材やますます増大する原野化した自然から十分に供給できるだろう。さらに、材木を利用して発電をすれば、循環型の社会が構築可能となる。これは、炭酸ガスを増やすことなく、環境にも優しい方法である。日本では、

図3－18　日本の電源構成

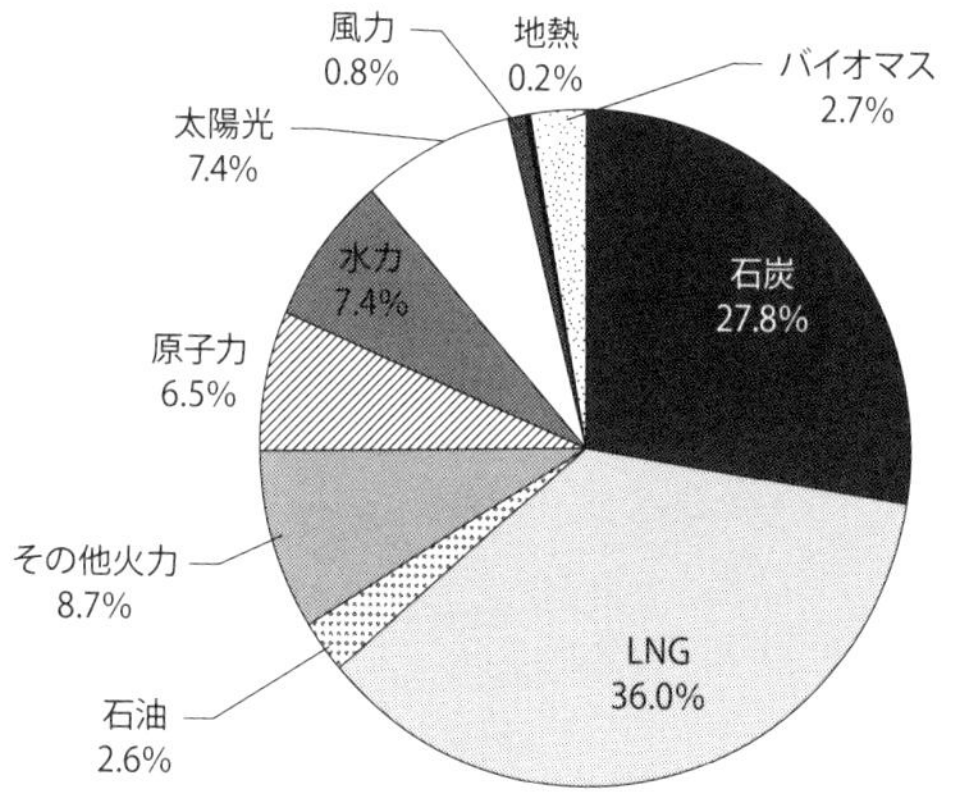

バイオマス発電に対して、環境庁も補助金を出して推奨している。

環境エネルギー政策研究所（NPO法人）によると、2019年の「日本全体の電源構成」は図3－18のようになっており、バイオマスはまだ全体の2・7％にすぎない。

図3－19の資料は、「森のエネルギー研究所」による、木質バイオマス発電所の稼働・導入計画である（2020年6月）。白黒では見にくいが、稼働中のものだけでも地方を中心に日本全国に広がっていることが概観できる。

このグラフからも、各地域が地域興しの一環として、積極的にバイオマス発電に熱心に取り組んでいることがわかる。もちろん、バイオマスは国の補助金行政とセットになっており、どの電力源に注力するかという点で、国の環境問題へのスタンスが推し量れる。なお、バイオマス発電は地方創生と親和性があり、地域の電力供給に有益である。プラントの建設や運営に地域がかかわるので、地域の活性化に一役買うことができるというメリットもある。

図３－19　全国木質バイオマス発電所一覧（2020 年 6 月）

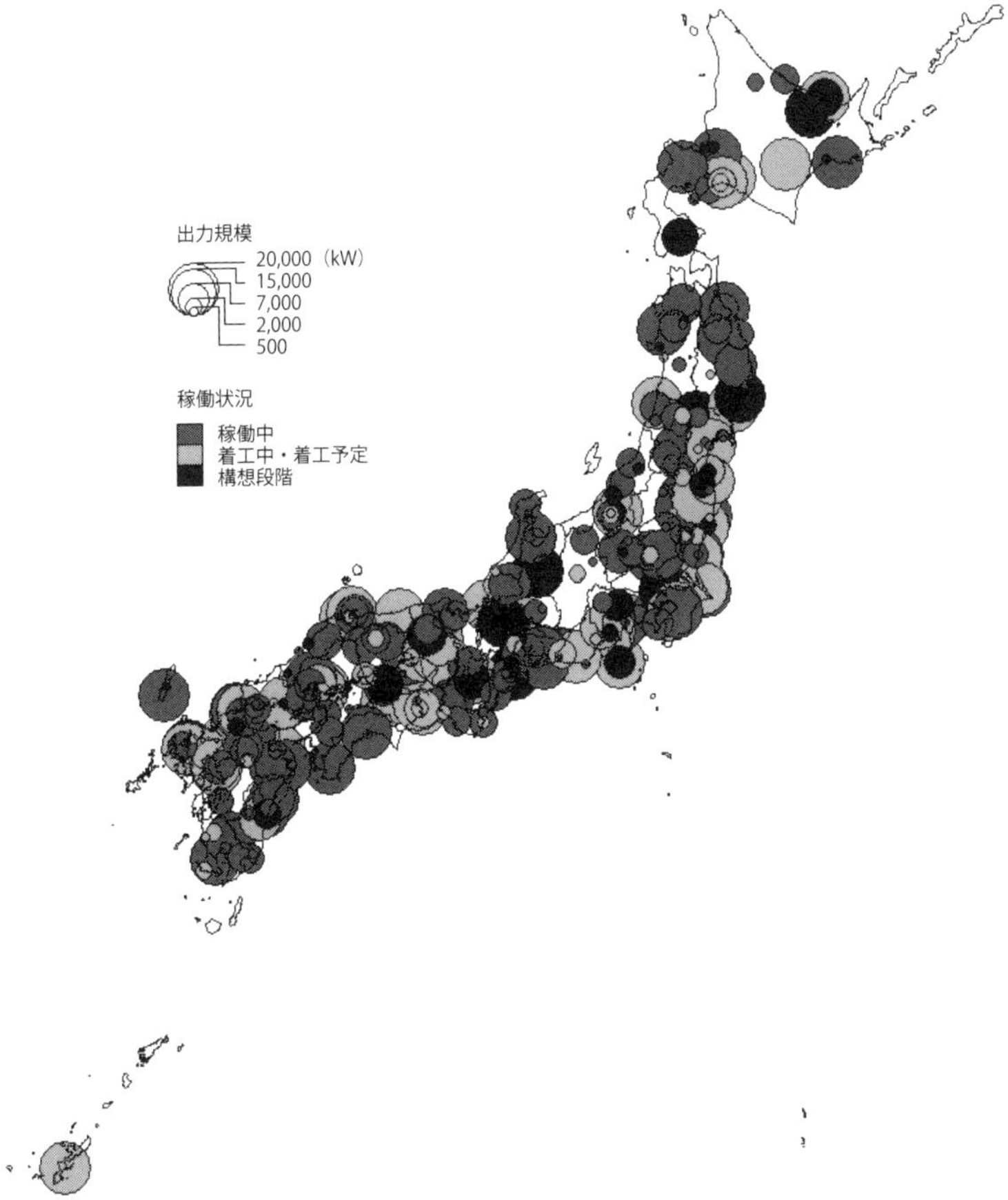

出典：森のエネルギー研究所ホームページ。2012 年 7 月 1 日 FIT 制度施行後に稼働開始・稼働予定箇所のバイオマス発電所状況。石炭などとの混焼を行っている場合は木質バイオマス燃料のみの比率を推計して出力規模の下限を 500kw、上限を 20,000kw と設定。尚、500kw 以下、20,000kw 以上の情報はそれぞれ 500kw、20,000kw と表記。

近年、藻谷浩介氏らの『里山資本主義』（角川書店）が話題になった。その視点は、お金の循環という資本主義でなく、生活の基本である水、自然、食糧が確保できたなら、お金の資本主義から、安心を担保とした資本主義が可能となるというものである。これは新しい視点であり、十分検討するに値する提案であると思う。バイオマス発電もその構想のなかへ組み込むことが可能であるからだ。

12 花とハチ、クマが教えてくれる循環型社会

ポスト・コロナのモデル

歴史を振り返ってみると、人類の古代から中世、近代において、古代ローマ帝国、ユーラシア大陸の主要部を征服した大モンゴル帝国、日の落ちることがない帝国といわれたスペイン、7つの海を支配した大英帝国なども衰退した。これらの歴史的に繁栄を誇った巨大帝国と同様に、ソ連型の社会主義国家も崩壊した。

政治支配システムの崩壊の歴史は、個別にはそれぞれの原因がある。しかし共通点は、軍事力という「力の論理」で周辺国を征服してきたという歴史である。現在の「力の論理」は核兵器であるが、東西冷戦時代には歯止めのない核兵器拡大競争が繰り広げられた。その後、冷戦構造が終焉し、世界平和を希求する反核運動によって、たしかに核兵器は削減されたが、核保有国は頑としてそれを全面的に放棄していない。それでいて新規に核を保有しようとする国に

制裁を加えてきた。

「力の論理」は21世紀にも継承され、とくに外交や政治において、核を背景にした駆け引きがおこなわれている。もうひとつの「力の論理」は経済力である。20世紀後半の一時期に共産主義に勝利した自由主義陣営が、歴史的に正当な体制としてほめそやされてきた。そして、「経済力」のさらなる拡大を目指して、資本主義はグローバル化していった。それを支えたのは、すでに述べたが、イデオロギー的には新自由主義であった。当時のアメリカの「小さな政府」、イギリスのサッチャー首相の「構造改革」、日本の小泉内閣時の「聖域なき改革」などによって、自由主義経済にもとづく資本主義がさらに推進されてきた。

その結果、トータルとしての経済は活性化していったが、この新自由主義の拡大路線やグローバル化は三つの大きな矛盾を生み出してきた。ひとつは競争が激化し、経済格差社会がますます広がっていったことである。二つ目に、それは発展途上国を巻き込んだ南北問題を深刻化させた。もうひとつは社会全体のエネルギー消費量が増え、CO_2排出量が増加の一途をたどることになった。資源や地球は有限であるし、環境問題が深刻になってくる。こうして現在、世界的規模において内部矛盾はもう限界を超えているといえる。

このような現代文明のメカニズムのなかで、コロナが登場した。核兵器はコロナに対して何の役にも立たない無用の長物である。コロナは経済の地殻変動を引き起こし、社会の構造変化を迫った。コロナは欧米がつくり出した現代文明の未来のあり方を問い、文明の矛盾を鋭く突いてきた。すなわち現代文明はコロナに振り回されているのである。不安に駆られた人びとは、近未来の社会像を思い描き、ポスト・コロナの世界はどうなるのかに関心が集まる。その将来展望は、むつかしい思想や理念を提示して説明するより、以下に述べる太古から繰り返されてきた植物と動物、そして人間との間で展開される共生関係のモデルが、きわめて有益な示唆を与えてくれるであろう。

植物、動物、人間の共生

日本では、村落と森林の境界に断絶がなく、かつて里山という緩衝地帯が存在した。正確にいうと、水平面は水田に、斜面も水を引けると棚田に、さらに耕せるところは畑に利用し、その先に里山という風景が広がっていた。里山は、人間の手が加わった灌木地帯であり、それでいて自然が残っている地域でもあった。

里山はふつう村の共有地となっているところが多く、季節に応じて、村人が薪、タケノコ、山菜、茅《かや》、キノコ、木の実などを採る場所であった。再生するクヌギの木はシイタケの原木に、松、杉、檜は建材に利用し、炭焼きも里山でおこなった。小川には川魚やサワガニがおり、村人たちは季節ごとに、里山の恩恵を受け、質素ながらも自給自足の共生生活を営んでいた。

植物は、自然の条件のなかで、種を繁栄させるために受粉においても自然現象を利用したり、動物をおびき寄せる香りや目立つ色彩を作り出し、花の形状を発達させたりした。とりわけ重要な点は、植物が、動物の好む食糧として密や果実を供給してきたことである。

その一例として、花とミツバチの関係はとくに有名であり、植物はミツバチを引き寄せる多くの仕組みを生み出してきた。花は目立つ色に、その形状も受粉に都合のいいものに進化した。こうして、昆虫たちを惹きつけ、さらに受粉を促進させるためにフェロモンを発する。それに吸引されるように、ミツバチが花の蜜に集まるように仕掛けられた。

植物はこうして花を受粉させ、実や果実を得る。ミツバチはそのハチミツによって、栄養を蓄え種族を繁栄させる。両者のコミュニケーションは相互互恵であり、ウィン・ウィンの関係にある。植物は受粉だけでなく、結実した果実においても、種を運ぶ仕掛けを駆使する。芳香を放つ果肉は、もっともわかりやすい植物の種族保存の誘惑方法である。こうして植物の種は、自然現象や動物の助けを借りて、はるか遠くまで運ばれる。そうでなければ、植物が生えている周辺にしか種は落下せず、その生存競争が熾烈になるからだ。他方で、植物は草食昆虫に攻撃された場合、匂いの化学物質を発して天敵を呼び寄せる。その天敵が草食昆虫を撃退し、植物を防衛するという高度なコミュニケーション能力をもっているのである。

図３－20　ミツバチと花

ハチミツはクマや小動物の好物となり、食物連鎖の輪はさらに広まる。クマは、北方においては百獣の王として君臨してきたが、頂点にいる人間がクマ狩りをした。このように、花から発したコミュニケーションは、人間をも連鎖のシステムに組み込んでいくのである。

アイヌとクマ

一般によく知られているアイヌの習俗に、イオマンテというクマ祭りがある。本来、この類の祭祀はアイヌ独自のものではなく、かつて北方ユーラシア大陸の各地方の少数民族にも広く分布していた。クマは本来、アイヌではカムイと呼ばれ、神そのものであったが、その後、神の使者と考えられるようになった。いずれにせよクマは、かれらにとって人間と密接な交流のある狩猟動物であった。

アイヌは、早春の3月ごろクマ狩りをする際、冬眠していたメスグマが産んだ小グマを山で生け捕り、集落へ連れて帰った。そこでクマは女性が中心になって家族同然のように育てられるのであるが、彼女たちはクマに授乳をしたり、口移しで食べ物を与えたりした。やがて獰猛になると、檻へ入れて大切に成長させる。2年ほど育てた後の冬の1月にクマ祭りがおこなわれる。

引用した図3－21は、寛政11年(1799)に描かれたクマ祭りの準備をしている人びとの光景である。クマの背後には、イアウという、人間とカミを媒介する木を削った飾りが備えられている。いわゆる神の抛り代である。また、太刀やシトキ(飾板)をかざり、お供えをしている様子がうかがえる。

アイヌでは、クマは山の神で、神はこの世にクマの姿であらわれるとされる。人びとはそれ

図3－21　アイヌのイオマンテの光景

を鄭重《ていちょう》にもてなすことによって、神が異界からおいしい肉や毛皮を恵んでくれると信じてきた。イオマンテの際、クマを殺す前に女性たちは本気で嘆き悲しむ。長老のエカシが儀礼を終えると、クマを射て殺し、すばやく解体する。クマの頭は東に飾られ、神に捧げられる。クマ祭りの宴会がはじまると、はじめにアイヌの人びとは、冬の貴重な食糧や毛皮をプレゼントしてくれるクマに感謝の祈りを捧げる。招待された客たちは作法にのっとりクマの料理をいただき、クマ祭りの歌謡のユーカラがうたわれる。こうして、クマの魂は歓待され、神の国へ帰る。

イオマンテの習俗は、他の来訪神信仰と本質的に同じ構造をもっていると考えられる。すなわち、冬の食糧の乏しくなった時期に、クマは来訪神として人間のもとにあらわれ、美味しい肉を提供して春の到来を示す。クマの魂は鄭重にもてなされ、再び神のいる異界へ帰還していく。アイヌのイオマンテは、狩猟時代の古い来訪神信仰の原型を色濃く残している。それは自然の偉大さ、先人の深い英知を暗示していると考えられないだろうか。

現在、このような来訪神信仰は古臭い習俗として淘汰された。人間は神をも無視し、人間が生態系の頂点に立ち、繁栄してきた。循環型の生態系は、近代文明の発達によって崩壊し、循環型から人間優位の世界が作り上げられてきた。人間は、植物の本来の共生のメカニズムを無視して遺伝子を組み換え、植物とハチとの関係、クマと人間の関係を分断した。こうして、人間は自然のシステムを壊し、科学の力で都合のいいように自然や生命すら作り変える。感染症の蔓延、自然災害の多発、環境異変などはそのしっぺ返しであり、人類への攻撃であるように思える。

以上述べた花、ハチ、クマ、人間、神という連鎖のメカニズムのなかに、文明の未来への展望のカギが隠されている。むろん、原始的な連鎖の古臭い過去に回帰せよといっているのではない。来訪神の習俗が示す連鎖を、循環型生態系のプロセスを再構築するためのモデルのひとつとすれば、人間の未来の文明の展望がおのずから拓けるであろう。すなわち、強者が収奪しっぱなしの弱肉強食の思想ではない、新自由主義の勝者が世界を動かすのではない、循環型のウィン・ウィンの共生型社会のイメージが展望できるのではないだろうか。地球上に存在する植物、動物、人間、自然が共生する社会システムの構築が未来の文明のあり方だと考える。人間は本来、世界の頂点に位置するのではなく、自然の一部なのだから。

終章　日はまた昇る

問題の論点

コロナも流行期が終われば、免疫効果もあっていずれ収束期を迎える。もちろん、グローバル化したウイルスが突然変異を起こしたり、地球の北半球と南半球の夏季、冬季の入れ替わりにより、一次、二次、三次という波状的流行を繰り返したりする可能性はある。しかし、この感染症の恐ろしさが、「喉元を過ぎれば熱さを忘れる」ものであってはならない。これを記憶に残しておく必要がある。

楽観的に見れば、既存のワクチンや薬の効果も検証され、新しいウイルスのワクチン、治療薬の開発についてのニュースも報じられている。ウイルスがサーズに類似しているため、その制圧のノウハウが応用できるようである。そうすれば、近い将来、インフルエンザのようなワクチンの投与も実現するであろう。人類とウイルスの闘いはこれからも続いていく。

最後に、本書で取り上げ、主張した事項をまとめると、以下のようになる。

1．格差社会を拡大する新自由主義、グローバリズムの見直し
2．欲望の資本主義の終焉

3. 成長神話から循環型社会へのパラダイムの転換
4. 異形の東京一極集中から、地方分散型社会へ
5. 第一次産業への回帰と食糧危機の回避
6. 化石燃料から再生可能エネルギーへ
7. 自然と共生する社会

コロナは病理学的な感染症対策だけでなく、経済、社会、政治、農業、環境論などを包括した問題を提起している。ポスト・コロナの社会はこれらの課題を解決するミッションを負っているのである。

連帯

今回のコロナ禍に関連し、国家を超えた機関WHOが何度も話題になった。まず、そのエンブレムに何が込められているのか見ておこう（次ページ図参照）。WHOのエンブレムは、国際連合のそれに、ヘビが巻き付いたアスクレピオスの杖を中央に配したものである。これは、ギリシャ神話の医術の守護神アスクレピオスとヘビの故事にちなむロゴである。ヘビは、脱皮を繰り返し、生命の神秘を有するので、医術の守護神はそれをシンボル化したものを所持したという。有名な古代ギリシャの医師ヒポクラテスもその守護神の子孫といわれている。

ただし、キリスト教では、ヘビは邪悪な生き物で、悪魔の使者としてネガティヴなもののシ

ンボルとされてきた。これは「旧約聖書」のイヴをそそのかすヘビの故事が物語る。それにもかかわらず、WHOがギリシャ神話のシンボルをエンブレムに採用したのは、キリスト教の世界観に捉われないという、重要なメッセージが込められている。なお、オリーブの枝と葉も世界平和を希求するものである。

いま、人類の生命を守るコロナ用の新薬とワクチンの開発が切望されている。政治や国家ができることは、感染症に対して研究費を投入することであり、それがコロナウイルス問題の最大の解決方法である。本来の政治家の資質は、現実問題の対処や解決をするだけでなく、今後遭遇する人類の危機を見越して政治をすることにある。しかし、GDP第1位と第2位を占めるアメリカと中国は相互に対立し、国際的な連携とはほど遠い状態である。

WHOのエンブレム

前述のように、とくにアメリカは、内向きの自国中心主義を標榜し、他国と協調路線を採ろうとしない。中国も発症国の道義的責任を「覇権主義」に転化し、WHOを利用しようとしているという批判がある。コロナ禍はキーワードとして封鎖、分断、隔離、憎悪というベクトルを生み出したが、ポスト・コロナは連帯、支援、救済というヒューマニズムのベクトルに変化させなければならない。

日本でも、阪神・淡路大震災や東日本大震災で顕著な活動が話題になった連帯の精神が必要である。たとえば、小さいことであるが、全国的な小中高の休校にあたって、地域住民のボランティアで生徒たちのケアをしたり、企業がおにぎりや弁当を差し入れたりした。感染しても無症状や軽症の人びとに、ホテルを提供する経営者も出てきた。今後の社会においては、ボランティアがコミュニティを支えるチカラになることが期待される。

ウイルスによって致命的なダメージを受けた音楽、演劇、スポーツには、沈滞した雰囲気を払拭し、活気を取り戻すことが期待される。それは東日本大震災の折に、被災者を励ますためにアーティストたちがおこなってきたボランティアの先例が物語っている。これによって、被災者たちはどんなに励まされ、勇気づけられたことか。

劇場型エンターテインメントの典型例は、延期されたオリンピックや2025年の大阪万国博覧会であるが、これらはコロナが収束していたらという条件付きで、沈滞した社会のムードを活性化させる祝祭と位置づけられよう。ただし、オリンピックについては、来年の開催はかなり困難視する見解が多く、今日、これらの世界的なイベントに異論を唱える向きもある。もちろん、多様な意見があり、それを発言できる社会が健全であるのはいうまでもない。異論を唱える人に罵詈雑言を浴びせることは、決してあってはならない。

コロナ禍は、高齢化社会の縮図ともいえる現実を暴き出した。その犠牲になった家族や友人たちの悲しみは癒えることはない。コロナ禍をチャンスととらえ、それに便乗して大儲けしようとする人間の醜いエゴイズムも見せつけられた。他人を押しのけて物資を独り占めしようとする光景も目の当たりにした。根も葉もない流言飛語が飛び交う現実も知った。これも人間だからといってしまえば終わりだけれど、悲喜劇を織り交ぜながらも人間は生きていかねばならない。

ポスト・コロナの社会

本章の見出しは、ヘミングウェイの『日はまた昇る』から借用した。主人公たちは第一次世界大戦という嵐を越えても、つぎの日の出を迎え、酒を飲みながらレジャーに明け暮れる虚無的な生活を過ごしている。かれらは大きな時代の波が来ても、変わるものと変わらぬものを見つめて生きている。1920年代のアメリカの作家は、ロストジェネレーションの世代といわれたが、逆説的な意味で、平穏な日常がいかに大切であるのかをわれわれに語りかけている。夜から朝が来て、また日は昇っていく。その営みのなかで人類は生きてきたからである。ポスト・コロナの時代でも、人びとはノスタルジアのようにコロナ禍以前の社会への回帰を夢見る。

コロナのせいで閑散とした光景から、街はふたたび人びとであふれかえるであろう。いったん消えた外国人観光客もしだいに蘇り、デパート、ホテル、小売店もインバウンドに期待をするようになる。野球場、サッカー場、劇場、コンサートホールも再び熱気に包まれる。マスクを外して思いっきり歓談し、楽しく対面生活ができる日も来る。しかし、そうした光景は、以前と同じ日常のように見えても同じではない。われわれを待ち構えているのは、異次元のポスト・コロナの世界である。これまでの対面型社会とは異なる、非対面型社会のなかで生きていかねばならない。コロナは収束しているように見えても、変異していつ逆襲してくるかもわからないからだ。

コロナは、生と死、飽食、高齢化、24時間社会、グローバル化、政治家、家族のあり方を再考させた。これらは多くの場合、現象の一形態に過ぎない。その背景を分析すれば、現代文明全体は大きな転換点にさしかかっている。もはや成長社会ではない、欲望を充足させる時代でもない。自分の足元を見つめ、生き方を再考する時代なのである。それは現代という時代そのものの問いかけに他ならない。

コロナ禍によって、日常生活がいかに大切であるかを思い知らされた。その反面、未曽有の経済不況で職を失い、途方に暮れている人びともいる。収入が減り、不安な日々を送っている弱者も多く、その傷はあまりにも大きい。政治はたえずこのような人びとに寄り添い、希望を与えるものでなければならないはずが、現実と理想はあまりにもかけ離れたままである。

その日常生活を取り戻すために、医療現場では感染の危険性を顧みず、限られた人員のなかで献身的に黙々と治療に専念してきた人びとがいる。研究者は必死になって新薬の実験をおこなっており、役所の窓口では困窮した人びとに寄り添う公務員もいる。多くの人びとはまったく脚光を浴びることなく、自分の持ち場で仕事をこなしている。そのおかげで、誰しも幸せを求める権利が保障される。世の中がどう変わろうとも、日はまた昇り、明日が再び訪れる。

あとがき

最近、コロナ絡みの話題で2つの大きな潮流が見られる。ひとつはコロナ禍とはまったく関係のないテレビ番組「ポツンと一軒家」(テレビ朝日)が話題になっていることである。背後に日本の過疎化、すなわち「限界集落」の問題があるが、番組ではそのような正面切ったテーマではなく、なぜ孤立した生活をしているのか、その家族や個人のストーリーを聞き出すことに主眼が置かれている。

多くはかつて村落共同体があったが、気がつけば一軒家になってしまった、あるいはひとり暮らしになってしまったという筋書きである。なかには定年後、都会から一軒家に移住した人すらいる。訪問を受けた住民の大部分は老人であるが、その生活を当たり前のように受け入れ、それほど苦にしていない。いや楽しんでいる人もいる。都市に住んでいる視聴者の興味は、かつて「団塊の世代」が田舎を後にした軌跡と二重写しになり、自分の人生の「逆バージョン」

を見ている気分になる。そのため、かれらにとって一軒家の情景はきわめてリアリティをもつ。

他方、もうひとつの潮流は、いうまでもなくテレビでも連日取り上げられているコロナ禍の話題である。多くの人びとにはもはや食傷気味となっているが、テレビや新聞だけでなく出版界でも、ポスト・コロナ関連の出版ラッシュが続いている。コロナは経済、政治、社会、医学、教育、スポーツ、芸術、芸能の分野に多大な影響を与えているので、当然といえば当然である。その際のキーワードは、ソーシャル・ディスタンス、テレワーク、宅配システムなど、極力無用な外出を避け、人と人との接触を回避する方法に終始している。極端にいえばコミュニケーションの原点である対話すら避けることが提唱されている。

これらの分析は総論としては納得できるが、問題は各論にある。コロナによる分断社会は、必ず格差社会を生み出す。勝者・敗者のなかで、必然的に生まれる弱者を救済するセーフティネットをどう構築するのか。衰退する職種から、別の見込みある職種へどう橋渡しするのか、適切な経済支援の仕組みをどうするのか。たとえばドイツのように、期限付きで消費税減税をするのか、あるいは極論であるが、ベーシックインカムを導入する気はあるのか。具体論に踏み込まない限り、総論は評論家の発言と同様、ほとんどお題目の羅列に終わり、何の役にも立たない。

コロナは「ポツンと一軒家」に暮らす人と、都会で何不自由なく暮らしてきた人間の両極をクローズアップした。それは文明の歩んできた歴史の縮図である。「ポツンと一軒家」は不便であるが、自然のなかで生きているので、コロナに振り回されることはない。文明は進歩や発展であるように見えるが、コロナは文明が内包していたポジティヴな面とネガティヴな面を可視化したといえる。都市化には光と影があり、利益や欲望を追求しすぎると思わぬしっぺ返しを受ける。便利な生活を追求するとたえず地球に負荷をかける。これらが巡り巡って感染症を生み出す。

ポスト・コロナの時代は、以上の両極の折り合いを見い出して、着地するという月並みな結論になる。ただ、不幸中の幸いは、今回のコロナは致死率が相対的に見れば比較的低いので、現代文明がこれによって大きなダメージを受けるとしても、崩壊することはない。世界経済に与えた影響は極めて大きく、その後遺症をいかに克服すべきかが問われるが、過去の感染症の歴史を見れば、人類は必ずコロナ禍を乗り越えていくことができる。

あらゆる生物の頂点に立つ人類が、コロナという極小のウイルスに攻撃され、右往左往している構図は、現代を象徴している。第3章で述べたが、かつて神は人間の傲慢さに対して鉄槌を下し、「バベルの塔」を崩壊させた。同様にコロナ禍は人間の傲慢さが招いた帰結であるように思えるが、しかし現代には神はいない。ではどうしたらいいのだろうか。それは文明が内包する科学の進歩に期待を寄せながら、陰の部分を自覚することではないか。今や自明の原理であると思われてきた文明の「進歩」の意味を再考するときではないだろうか。

本書の内容の大部分は、2020年1月に武漢市において新型コロナ騒動が報道されてから、この問題を追跡しながら書き下ろしたものである。ただし、第2章のペスト襲来の箇所（2〜4節）の歴史的経緯は、筆者かかつて編集した『欧米社会の集団妄想とカルト症候群』（明石書店）の筆者執筆部分と重なるところがある。

また、第3章の環境問題（8～10節）の箇所は、『現代ドイツを知るための67章』（第3版、明石書店）の筆者執筆部分に加筆修正を施したものであることをお断りしておきたい。ただ、ここで申し上げたいことは、コロナ、ペスト襲来、環境問題などが個別に分断されたものでなく、それぞれ相互に深くかかわる事象であることをご理解願いたいということである。

本書の出版には、明石書店の大江道雅社長のご高配を賜った。実際の作業は編集部の武居満彦さんのお手を煩わせた。記してこころからお礼を申し上げたい。本書がコロナ禍の今後の展望の一助になればと願いつつ擱筆する。

2020年8月16日

浜本 隆志

主要参考文献一覧

○邦文

アンソニー・F・アヴェニ『ヨーロッパ祝祭日の謎を解く』勝貴子訳、創元社、2006年
「朝日新聞」朝刊、2020年3月20日
阿部謹也『ハーメルンの笛吹き男――伝説とその世界』平凡社、1974年(ちくま文庫、1988年)
カレン・アームストロング『聖戦の歴史』塩尻和子・他訳、柏書房、2001年
アリストテレス『詩学』三浦洋訳、光文社、2019年
池上俊一『ヨーロッパ中世の宗教運動』名古屋大学出版会、2007年
マックス・ウェーバー『権力と支配』濱嶋朗訳、講談社学術文庫、2012年
マックス・ウェーバー「世界宗教の経済倫理序論」大塚久雄・他訳『宗教社会学論選』みすず書房、1972年
小田内隆『異端者たちの中世ヨーロッパ』NHKブックス、2010年
ノルベルト・オーラー『巡礼の文化史』井本晌二・他訳、法政大学出版局、2004年
カミュ『ペスト』宮崎峰雄訳、新潮文庫、1969年
川島博之『「食糧自給率」の罠――輸出が日本の農業を強くする』朝日新聞出版、2010年
環境省ホームページ「地球温暖化と感染症」温暖化のもたらす地域ごとの健康影響の特徴:https://www.env.go.jp/earth/ondanka/pamph_infection/full.pdf#search=
蔵持不三也『ペストの文化誌』朝日新聞出版、1995年
C・S・クリフトン『異端事典』田中雅志訳、三交社、2000年

小池寿子『死者たちの回廊――よみがえる死の舞踏』平凡社、1994年
ノーマン・コーン『千年王国の追求』江河徹訳、紀伊國屋書店、1978年
佐伯啓思『「欲望」と資本主義――終りなき拡張の論理』講談社現代新書、1993年
佐々木宏幹・他編『カリスマ』春秋社、1995年
ポール・ジョンソン『ユダヤ人の歴史　上・下』阿川尚之訳、徳間書店、1999年
新カトリック大事典編纂員会・編『新カトリック大事典　第3巻・第4巻』研究社、2002年
ユーリ・ストヤノフ『ヨーロッパ異端の源流――カタリ派とボゴミール派』三浦清美訳、平凡社、2001年
ニイル・J・スメルサー『集団行動の社会理論』会田彰・他訳、誠信書房、1973年
諏訪春雄・他編『訪れる神々』雄山閣、1998年
ジャック・ソレ『性愛の社会史――近代西欧における愛』西川長夫・他訳、人文書院、1985年
ジャレド・ダイアモンド『銃・病原菌・鉄　上・下』倉骨彰訳、草思社、2012年
橘木俊詔『格差社会――何が問題なのか』岩波書店、2006年
田中修『植物はすごい　七不思議篇』中公新書、2015年
『中央公論』中央公論新社、2020年4月号
D・J・デイヴィス『死の文化史』森泉弘次訳、教文館、2007年
ライナー・デッカー『教皇と魔女――宗教裁判の機密文書より』佐藤正樹・他訳、法政大学出版局、2007年
エルンスト・トレルチ『トレルチ著作集7』住谷一彦・他訳、ヨルダン社、1981年
中沢新一『対称性人類学』講談社、2004年
西村和雄・八木匡「幸福感と自己決定――日本における実証研究」独立行政法人経済産業研究所、

2018年、18-J-026
日本基督教団出版局『キリスト教人名事典』日本基督教団出版局、1986年
野口洋二『中世ヨーロッパの教会と世界』早稲田大学出版部、2009年
デヴィッド・ハーヴェイ『新自由主義――その歴史的展開と現在』渡辺治・他訳、作品社、2007年
秦剛平『名画でたどる聖人たち　もう一つのキリスト教世界』青土社、2011年
ユルゲン・ハーバーマス『公共性の構造転換――市民社会のカテゴリーについての探究』細谷貞雄・他訳、未來社、1994年
濱田篤郎『疫病は警告する――人間の歴史を動かす感染症の魔力』洋泉社、2004年
浜本隆志・編『異界が口を開けるとき　来訪神のコスモロジー』関西大学出版部、2010年
浜本隆志・他編『現代ドイツを知るための67章　第3版』明石書店、2020年
浜本隆志・編『欧米社会の集団妄想とカルト症候群』明石書店、2015年
浜本隆志『魔女とカルトのドイツ史』講談社現代新書、2014年
マシュー・バンソン『ローマ教皇事典』長崎恵子・他訳、三交社、2000年
『ゲオルク・フォルスター作品集　世界旅行からフランス革命へ』八木浩・他訳、三修社、1983年
藤代幸一『「死の舞踏」への旅』八坂書房、2002年
ジョージ・M・フレドリクソン『人種主義の歴史』李孝徳訳、2009年
アーネスト・ヘミングウェイ『日はまた昇る』高見浩訳、新潮文庫、2000年
クラウス・ベルクドルト『ヨーロッパの黒死病――大ペストと中世ヨーロッパの終焉』宮原啓子・他訳、国文社、1997年
ボッカチオ『デカメロン　十日物語（1）』野上素一訳、1948年、岩波文庫
松井須磨子『松井須磨子作品集』春潮社、1948年

チャールズ・マッケイ『狂気とバブル――なぜ人は集団になると愚行に走るのか』塩野未佳・他訳、パンローリング、２０１２年
水島治郎『ポピュリズムとは何か――民主主義の敵か、改革の希望か』中公新書、２０１８年
村上陽一郎『ペスト大流行――ヨーロッパ中世の崩壊』岩波新書、１９８３年
藻谷浩介・他『里山資本主義――日本経済は「安心の原理」で動く』角川新書、２０１３年
森田義之・他『ＮＨＫ日曜美術館名画への旅５　天上から地上へ　初期ルネサンスⅠ』講談社、１９９３年
安田喜憲『森のこころと文明』ＮＨＫライブラリー、１９９６年
山下正男『思想としての動物と植物』八坂書房、１９９４年
山本太郎『感染症と文明』岩波新書、２０２０年
湯原公浩・編『先住民　アイヌ民族』平凡社、２００６年
ジャン＝フランソワ・リオタール『ポスト・モダンの条件――知・社会・言語ゲーム』小林康夫訳、水声社、１９８９年
アラン・リチャードソン・他編『キリスト教神学事典』古屋安雄・監修、佐柳文男訳、教文館、１９９５年
マルティン・ルター『ルター著作選集』ルーテル学院大学・日本ルーテル神学校ルター研究所・編、教文館、２００５年
ギュスターヴ・ル・ボン『群衆心理』櫻井成夫訳、講談社学術文庫、１９９３年

○欧文

Asmussen, Jes Peter (Hrsg.): *Handbuch der Religionsgeschichte*. 3 Bände. Göttingen 1971-1975.
Becher-Huberti, Manfred: *Lexikon der Bräuche und Feste*. Freiburg im Breisgau 2000.

Behringer, Wolfgang: *Kulturgeschichte des Klimas.Von der Eiszeit bis zur globalen Erwärmung*. München 2007.

Breuers, Dieter: *In drei Teufels Namen. Die etwas andere Geschichte der Hexen und ihrer Verfolgung*. Lübbe 2007.

Brömmel, Winfried ua.: *Populismus und Extremismus in Europa. Gesellschafts-wissenschaftliche und sozialpsychologische Perspektiven*. Bielefeld 2017.

Brüder Grimm (Hrsg.): *Deutsche Sagen*. Bd.1. Frankfurt am Main 1981.

Corvin, Otto von: *Die Geißler, Denkmale des Fanatismus in der Römisch-Katholischen Kirche*. Kirchheim 2005.

Daniel Stelter: *Coronomics: Nach dem Corona-Schock: Neustart aus der Krise*. Frankfurt am Main 2020.

Decker, Rainer: *Die Päpste und die Hexen. Aus den geheimen Akten der Inquisition*. Darmstadt 2003.

Dirnbeck, Josef: *Die Inquisition, Eine Chronik des Schreckens*. München 2001.

Dols, Michael W.: *The Black Death in the Middle East*. Princton 1977.

Dufour, P.: *Weltgeschichte der Prostitution*. Voltmedia Paderborn 2005.

Dülmen, R.v.: *Kultur und Alltag in der Frühen Neuzeit*, Bd.1, 2. München 1990-92.

Dülmen, R.v. u.a. [Hrsg.]: *Volkskultur*. Frankfurt am Main 1984.

Erich, O.A., u.a.: *Wörterbuch der deutschen Volkskunde*. Stuttgart 1955.

Fetzer, Carl ua.: *Der Flagellantismus und die Jesuitenbeichte. Historisch-psychologische Geschichte der Geisselungsinstitute, Klosterzüchtigungen und Beichtstuhlverirrungen aller Zeiten*. Greiz 2001.

Food and Agriculture Organization of the United Nations (FAO): -FAOSTAT-Production, Crops, Cocoa beans. 2016.

Gurjewitsch, Aaron J.: *Mittelalterliche Volkskultur*. Dresden 1992.

Hammerstein, Reinhold: *Tanz und Musik des Todes. Die mittelalterlichenTotentänze und ihr Nachleben*. Bern 1980.

Herlihy, David: *Der Schwarze Tod und die Verwandlung Europas*. Berlin 1997.

Jankrift, K.P.: *Mit Gott und Schwarzer Magie, Medizin im Mittelalter*. Berlin 2005.

Kippenberg, Hans G.(Hrsg.): *Europäische Religionsgeschichte. Ein mehrfacher Pluralismus*. Göttingen 2009.

Krogmann, Willy: *Der Rattenfänger von Hameln:eine Untersuchung über das Werden der Sage*. Berlin 1934.

Liebs, Elke: *Kindheit und Tod*. München 1986.

Lindow, John: *Norse Mythology*. New York 2002.

List, Günther: *Chiliastische Utopie und Radikale Reformation-die Erneuerung der Idee vom tausendjährigen Reich im 16. Jahrhundert*. München 1973.

Mollat, Michel: *Die Armen im Mittelalter*. München 1987.

Neuwald, Nana: *Bärenkraft und Jaguarmädizin*. Aarau Schweiz 2001.

Ohler, Norbert: *Sterben und Tod im Mittelalter*. Düsseldorf 2003.

Quanter, R.: *Die Sittlichkeitsverbrechen im Laufe der Jahrhunderte und ihre strafliche Beurteilung*. Wiesbaden 2003.

Runciman, Steven: *Geschichte der Kreuzzüge*. München 1995.

Schenk, Gustav (Hrsg.): *Aberglaube, Angst und Terror, Massenmord und Volksverhetzung in der Weltgeschichte*. Stuttgart 2000.

Schieder,Theodor (Hrsg.): *Handbuch der europäischen Geschichte*. 7 Bände. Stuttgart 1968-1987.

Schwaiger, Georg: *Teufelsglaube und Hexenprozesse*. München 1999.

Sollbach, Gerhard E.: *In Gottes Namen fahren wir*. Essen 1990.

Spanuth, Heinrich: *Der Rattenfänger von Hameln. VomWerden und Sinn einer alten Sage*. Göttingen 1951.

Tyerman, Christopher: *God's war. A new history of the crusades*. London 2007.

Ulbricht, O. [Hg.]: *Von Huren und Rabenmüttern*. Weimar 1995.

Vasold, Manfred: *Die Pest, Ende eines Mythos*. Stuttgart 2003.

Vogt, Martin (Hrsg.): *Deutsche Geschichte. Von den Anfängen bis zur Gegenwart*. Stuttgart 1997.

Vondung, Klaus: *Die Apokalypse in Deutschland.* München 1988.

Wann, Wolfgang: *Die Lösung der Hamelner. Ein Symbol des Abendlandes*. Würzburg 1949.

Weber, Hartwig: *Von der verführten Kinder Zauberei, Hexenprozesse gegen Kinder im alten Württemberg*. Sigmaringen 1996.

Weber, Hartwig: *Die bessenen Kinder*. Stuttgart 1999.

Wunderlich, Uli: *Der Tanz in den Tod. Totentänze vom Mittelalter bis zur Gegenwart*. Freiburg im Breisgau 2001.

［著者］

浜本 隆志（はまもと・たかし）

1944年香川県生まれ。関西大学名誉教授、ワイマル古典文学研究所、ジーゲン大学留学。ヨーロッパ文化論・比較文化論、博士（文学）、主要著作に『ドイツ・ジャコバン派』（平凡社　1991年）、『鍵穴から見たヨーロッパ』（中公新書　1996年）、『ねむり姫の謎』（講談社現代新書　1999年）、『指輪の文化史』（白水社　1999年）、『魔女とカルトのドイツ史』（講談社現代新書　2004年）、『モノが語るドイツ精神』（新潮選書　2005年）、『拷問と処刑の西洋史』（新潮選書　2007年）、『「窓」の思想史』（筑摩選書　2011年）、『海賊党の思想』（白水社　2013年）、『バレンタインデーの秘密』（平凡社新書　2015年）、『欧米社会の集団妄想とカルト症候群』（編著　明石書店　2015年）、『ナチスと隕石仏像』（集英社新書　2017年）、『図説 ヨーロッパの紋章』（河出書房新社　2019年）、『現代ドイツを知るための67章【第3版】』（共編著　明石書店　2020年）その他。

ポスト・コロナの文明論
――感染症の歴史と近未来の社会

二〇二〇年一〇月二〇日　初版第一刷発行

著　者――浜本隆志
発行者――大江道雅
発行所――株式会社 明石書店
〒一〇一―〇〇二一　東京都千代田区外神田六―九―五
電　話　〇三―五八一八―一一七一
ＦＡＸ　〇三―五八一八―一一七四
振　替　〇〇一〇〇―七―二四五〇五
http://www.akashi.co.jp

装幀　明石書店デザイン室
印刷・製本　モリモト印刷株式会社

（定価はカバーに表示してあります）　ISBN 978-4-7503-5093-6

ドイツのマイノリティ　人種・民族、社会的差別の実態
世界人権問題叢書72　浜本隆志、平井昌也編著　◎2500円

ヨーロッパ・ジェンダー文化論　女神信仰・社会風俗・結婚観の軌跡
浜本隆志、伊藤誠宏、柏木治、森貴史、溝井裕一著　◎2400円

現代を読み解くための西洋中世史　差別・排除・不平等への取り組み
世界人権問題叢書89　シーリア・シャゼルほか編著　赤阪俊一訳　◎4600円

ドイツに生きたユダヤ人の歴史　フリードリヒ大王の時代からナチズム勃興まで
世界歴史叢書　アモス・エロン著　滝川義人訳　◎6800円

人体実験の哲学　「卑しい体」がつくる医学、技術、権力の歴史
グレゴワール・シャマユー著　加納由起子訳　◎3600円

古代・中世の芸能と買売春　遊行女婦から傾城へ
服藤早苗著　◎2500円

人身売買と貧困の女性化　カンボジアにおける構造的暴力
島﨑裕子著　◎2500円

太平洋文明航海記　キャプテン・クックから米中の制海権をめぐる争いまで
塩田光喜著　◎2200円

ブラジルの都市の歴史　コロニアル時代からコーヒーの時代まで
世界歴史叢書　中岡義介、川西尋子著　◎4800円

現代メキシコを知るための70章【第2版】
エリア・スタディーズ91　国本伊代編著　◎2000円

アメリカ先住民を知るための62章
エリア・スタディーズ149　阿部珠理編著　◎2000円

現代中国を知るための52章【第6版】
エリア・スタディーズ8　藤野彰編著　◎2000円

OECD幸福度白書4　より良い暮らし指標：生活向上と社会進歩の国際比較
OECD編著　西村美由起訳　◎6800円

GDPを超える幸福の経済学　社会の進歩を測る
ジョセフ・E・スティグリッツほか編著　経済協力開発機構（OECD）編　西村美由起訳　◎5400円

OECD公衆衛生白書：日本　明日のための健康づくり
経済協力開発機構（OECD）編著　村澤秀樹訳　◎3800円

図表でみる世界の保健医療　OECDインディケータ（2019年版）
OECD編著　鐘ヶ江葉子監訳　村澤秀樹訳　◎6000円

〈価格は本体価格です〉

飼いならす 世界を変えた10種の動植物
アリス・ロバーツ著　斉藤隆央訳　◎2500円

人とウミガメの民族誌 ニカラグア先住民の商業的ウミガメ漁
高木仁著　◎3600円

コンゴ・森と河をつなぐ 人類学者と地域住民がめざす開発と保全の両立
松浦直毅、山口亮太、高村伸吾、木村大治編著　◎2300円

モンゴルの遊牧と自然災害〈ゾド〉 ゴビ地域の脆弱性に関する実証的研究
中村洋著　◎5400円

世界の先住民環境問題事典
ブルース・E・ジョハンセン著　平松紘監訳　◎9500円

海のキリスト教 太平洋島嶼諸国における宗教と政治・社会変容
大谷裕文、塩田光喜編著　◎4500円

ビジュアル大百科　聖書の世界
マイケル・コリンズ総監修
月本昭男日本語版監修　宮崎修二監訳　◎30000円

イランカラプテ　アイヌ民族を知っていますか？ 先住権・文化継承・差別の問題
秋辺日出男、阿部ユポほか著　アイヌ民族に関する人権教育の会監修　◎2000円

アグロエコロジー入門 理論・実践・政治
ピーター・ロセット、ミゲル・アルティエリ著　受田宏之監訳　◎2400円
グローバル時代の食と農4

環境ナッジの経済学 行動変容を促すインサイト
経済協力開発機構（OECD）編著
齋藤長行監訳　濱田久美子訳　◎3500円

多国籍アグリビジネスと農業・食料支配
明石ライブラリー162　北原克宣、安藤光義編著　◎3000円

グローバル環境ガバナンス事典
リチャード・E・ソーニア、リチャード・A・メガンク編
植田和弘、松下和夫監訳　◎18000円

マルクス　古き神々と新しき謎 失われた革命の理論を求めて
マイク・デイヴィス著　佐復秀樹訳　宇波彰解説　◎3200円

ヘイトスピーチ　表現の自由はどこまで認められるか
エリック・ブライシュ著
明戸隆浩、池田和弘、河村賢、小宮友根、鶴見太郎、山本武秀訳　◎2800円

新版　差別論 偏見理論批判
明石ライブラリー166　佐藤裕著　◎2800円

映画を観ることは社会を知ることだ 「愛と怒りと闘い」の記録
山田和秋著　◎1800円

〈価格は本体価格です〉